ちくま新書

韓国 現地からの報告

——セウォル号事件から文在寅

伊東順子
Ito Junko

1483

ちくま新書
1483

韓国《かんこく》現地《げんち》からの報告《ほうこく》
——セウォル号事件《ごうじけん》から文在寅《ムンジェイン》政権《せいけん》まで

二〇二〇年三月一〇日 第一刷発行

著者 伊東順子（いとう・じゅんこ）
発行者 喜入冬子
発行所 株式会社 筑摩書房
東京都台東区蔵前二-五-三 郵便番号一一一-八七五五
電話番号〇三-五六八七-二六〇一（代表）
装幀者 間村俊一
印刷・製本 株式会社 精興社

ISBN978-4-480-07302-0 C0236

はじめに

長く韓国で暮らしている。最近は家族の関係で日本にいる時間も増えたが、それでも月に一度二度は両国を行き来しながら仕事や家のことをしている。そうしながら感じるのは、日本のメディア（特にテレビ）で語られる韓国と、実際の韓国とに「ズレ」があることだ。

最初にそれを強く感じたのは二〇一四年四月、韓国の珍島《チンド》沖で起きた旅客船沈没事故（セウォル号事件）の時だった。「全員救出」という初《しょ》っ端《ぱな》の大誤報から始まり、完全に麻痺してしまった韓国メディアを見切って、海外の報道を追い始めた。NHK、BBC、CNN、そしてインターネット。

その中で日本の報道量は他国に比べて圧倒的だったが、的の外し方もすごかった。いったい、この人たちは何を言っているのだろう？

したり顔で話すワイドショーのコメンテーターに腹がたち、思わず休眠していたブログを再開した。それを見た『WEBRONZA』（現『論座』）の編集部が掲載を申し出てくれた。

「ものすごいアクセス数です。このまま続けて書いてください」

そうして始まった連載が、本書のベースになっている。

セウォル号事故から朴槿恵《パククネ》大統領の弾劾《だんがい》へ、文在寅《ムンジェイン》政権の誕生から混迷する日韓関係まで、この五年間の韓国をめぐる変化はすさまじかった。その変化の中で韓国の一般の人々は何を考え、どう行動したか。


第1章から第3章までは、五年間の変化を時系列にまとめてある。連載時にはナッツリターン事件やMERS（マーズ）問題も大きな話題だったが、政治外交面での変化に集中するために本書からは割愛し、その代わりに新たな書き下ろしをいくつか加えた。たとえば第3章の「朝鮮半島の安定と韓国軍に入隊した日本人の息子」は、連載時には書かなかったものだ。南北関係、そして米朝関係の変化が韓国の一般市民にとってどれほど重要か、それを知るための一文として加えた。

政治外交以外で重要と思われるトピックスは第4章と第5章に収録した。特に第4章では「ところで実際に反日教育はどうなんですか？」と頻繁に聞かれることと、日韓の教育事情には共通する問題も多いことから、「韓国の教育現場から」という独立した章にした。

また、第5章は楽しい旅の話を集めようと思ったが、なぜかキーセン観光という過去の暗いテーマが出てきてしまった。でも、これは重要なことなので、若い皆さんにもぜひ知ってほしいと思っている。

いずれの章でも現場の空気感がリアルに伝わるように、執筆時の文章をできるかぎり修正せず、足りない部分は追記という形で補った。また、本書は連載時から「ここだけの話」を集めようということで、以下の三つの視点を中心にして書かれている。

①日韓を行き来することで気づいた日韓の認識のズレ
②大声では語られることのない、一般の韓国人の本音
③メディアには登場しない韓国の人々の日常の暮らし

本音と建前があるのは、韓国の人々も同じだ。マイクを向けられたら言えないこともある。そこで、人混みの中に入ってじっと耳を澄ましてみると、いろいろ面白い話が聞こえてくる。そうして集めた五年間の記録を読み返してみると、韓国の変化は激しいといえども、次の時代への変化を予感させる何かが、その都度あったのだ、とあらためて思う。大

きく外してはいなかったようだ。

だから、今起きていることを冷静に見ることで、次に来ることもある程度は予測できるのではと思う。大切なのは人々の話をじっくり聞くこと。自分の主張も大切だが、まずは一歩下がって他人の意見を聞いてみる。注意すべきなのは古臭い知識や常識に縛られることだ。時には自分自身の経験さえも疑ってみなければならない。

今、韓国の政治はとても混乱している。それぞれの正しさが対立し、正しさ同士が戦い、正しさが共倒れする。でも、そんな「正解がない時代」は、実は私が待っていた時代かもしれないとも思う。一人ひとりが自分の頭で考えて、行動することが大切な時代。韓国の人たちも、今、そうしなければいけないと思っている。

世界中が混迷する時代、かつてのように米国や日本にお手本があるわけでもない。大統領も一般国民も悩みながら、手探りしながら、頑張って前進しようとしている。

韓国 現地からの報告――セウォル号事件から文在寅政権まで【目次】

第3章 歓喜から混乱へ——文政権のジレンマ2018~20 105

第5章　旅、友だち、それぞれの日韓　225

第 1 章
不信――セウォル号事件 2014～15

2014年4月16日午前、韓国南西部・珍島付近の海上で沈没寸前のセウォル号から救出され、別の船に乗り移る乗客（提供：韓国海洋警察庁／朝日新聞社）

2014年	
4月16日	旅客船セウォル号が全羅南道珍島沖の海上で転覆・沈没。修学旅行中の高校2年生325人、引率の教員14人の他、一般客108人、乗組員29人の計476人が乗船。生存者は172名。300名余りの犠牲者のほとんどは「その場から動くな」という船内放送の指示に従った高校生だった
26日	亡くなった1人を除く、乗組員15名全員を逮捕
5月 8日	セウォル号の船会社「清海鎮海運」代表を逮捕
19日	朴槿恵大統領、救助に失敗した海洋警察の解体を発表
22日	兪炳彦氏（セウォル号の実質オーナー）を懸賞付で指名手配（→その後に兪氏とみられる変死体が発見）
8月 7日	産経新聞ソウル支局長に出国禁止措置
11月11日	潜水作業による捜索が終了。この時点で未確認の行方不明者は9名
12月	ナッツ・リターン事件。映画『国際市場で逢いましょう』の大ヒット
2015年	
2月	姦通罪廃止
3月 5日	駐韓米国大使襲撃事件
4月16日	セウォル号沈没事故から1年。遺族会は政府主催の公式行事をボイコット、光化門広場で座り込みを開始。遺族ら主催の追悼集会で負傷者や逮捕者も出る
6月	MERS（マーズ）感染拡大
11月 2日	日韓首脳会談（野田前首相と李明博前大統領以来3年半ぶり）
12日	大法院、セウォル号船長ら乗組員への判決。船長は無期懲役
12月28日	「慰安婦合意」

1 船長や船員は何故さっさと逃げたのか

（二〇一四年五月一日）

†悲しみの国で

珍島沖の旅客船（セウォル号）沈没事故から一五日、韓国は全土が追悼ムードになっている。イベント類はすべてキャンセル。運動会や文化祭など、学校内の行事も中止や延期にしたところが多い。現地では救助活動が続けられており、ニュースは毎日その関連のもの一色なのだが、韓国の人々はもうあまりテレビを見なくなっている。

人々は当初、一九九五年に起きた「三豊《サムプン》百貨店倒壊事故」のことを思い出していた。死者五〇二名、負傷者九三七名という未曾有《みぞう》の事故にもかかわらず、あの時は発生後二週間を過ぎても、瓦礫《がれき》の下から生存者が発見され続けた。

今回もエアポケットの中から、ずぶぬれの高校生たちが泣きながら出て来るのではないか。人々はそれを待っていた。それを見れば、少しは癒されるだろうと思った。ところが日々の報道はその望みも叶えてくれず、逆に人々を打ちのめすような内容ばかりだ。ありえないほどのルール違反を犯していた船舶会社、海洋警察の初動救助における致命的失敗、軍や政府の無能ぶり……。

「その場から絶対に動かないで……」

中でもショックだったのは、四月二八日に一部が公開された、亡くなった高校生のスマホにあった動画だ。脱出しようとする生徒たちを、「その場から絶対に動かずに待機してください」という船内放送が何度も何度も引き止める。動画は一六分、それだけあれば、ライフジャケットを着て甲板に出られたはずだ。船長や船員がきちんと避難誘導していれば、生徒たちの多くは助かったのではないか。

その船長が最初の段階で救出されたことは、韓国はもとより海外でも「大ニュース」として報道された。

「船長は船と運命を共にするんじゃないのか」——ネット上には船長を非難する書き込みがあふれ、主要新聞の社説も船長非難一色となった。

救出された船長の姿は、三〇年ほど前に「逆噴射」で羽田沖に突っ込んだ日航機の機長を彷彿とさせ、ひょっとしたらこの船長には精神疾患があるのかもしれないとも思った。

ところが、この船長は収容された病院のベッドで、なんと濡れたお札を乾かしていたという。あまりにも「普通の人」。六八歳の初老の男性が、ポケットからお札を取り出して乾かしている姿を想像した。この人は、おそらく皆がイメージするような「誇りある船長」ではないのだ。

†非正規雇用だから仕方ない？

当初から六八歳という年齢が気になっていた。少なくとも正社員ではないだろう。案の定、彼は非正規雇用で月給二七〇万ウォン（約二七万円）。その他の航海士、機関長らも一七〇〜二〇〇万ウォンと低賃金で、しかも一五名の乗組員のうち正社員は六名だけだった。

朝鮮日報の記事によれば、「通常、仁川《インチョン》―済州《チェジュ》を運行する旅客船船長の月給は四〇〇〜五〇〇万ウォン」「海洋大出身のエリートたちは年棒一億ウォンを超える外国船航路を希望する」という。つまり、優秀な人材は別の会社に行ってしまい、この船舶会社は定年を過ぎた高齢者に頼るしかなかった。

船長らの賃金が公表されたあと、人々の中には同情の声も出てきた。「老後の趣味生活のつもりだったでしょうね」と、知り合いの韓国女性（二〇代後半）は悲しそうにつぶやいた。

それでも、日本だったらもっとプライドを持って仕事をする、と、その時の私は思った。それがプロフェッショナルだと信じてきた。

ところで、四月二九日の朝、さらにショッキングなニュースを聞いた。船長と同じく早い段階で救助された一等航海士と操機長は、なんと出航の前日に入社したばかりの「新人」だったというのだ。会社側は「うちの会社では新人でも、皆キャリアは十分だった。人手が足りないが、船は出すしかない状況で仕方がなかった」と取材に答えている。KBS（韓国放送公社）の報道によれば、逮捕された船員一五名中八名の勤務実績が六か月未満だったという。

†流動性の高い韓国社会、二極化する労働市場

仕事に対するプライドはプロフェッショナルの条件だろうが、すべての働く人がそれを持てるわけではない。そこまではなくても、会社や同僚への愛情があれば、それもまた仕事に対する責任感を補完する。でも、人手が足りないからと、入社翌日にいきなり重要な任務を任された人に、会社や同僚への愛情を望めるだろうか？

韓国社会は日本に比べると、非常に流動性が高い。大手企業には容赦ないリストラがあるし、中小企業は存続そのものが常に脅かされている。加えて、上昇志向の強い国民は常

に上を目指す。米国型とは言い切れないが、キャリアアップのために転職を繰り返す人は多く、その結果、働く人々の間では二極化が加速する。

事故を起こした船舶会社に限らず、韓国で非正規雇用の賃金はとても安い。その人たちに「責任感」を求めるのは無理だと、街の食堂レベルでも思うことが多い。重い炭火を運び、大量の洗い物を片付ける女性たちの時給は五〇〇〇円ほど（二〇一四年時点の韓国の最低賃金〔時給〕は五二一〇ウォン、二〇一九年現在では八三五〇ウォンまで上昇している）。

日本人観光客の中には彼女たちの態度が悪いと不満を言う人も少なくないが、一生懸命やってもやらなくても時給は同じ、出世できるわけでもない。モチベーションは上がらない。オーナーの側もまた、家賃、燃料、材料、さらに子供たちの教育費など出費がかさむ一方なので、つい削りやすい人件費から手を付ける。最近はさらに賃金の安い中国人を使う店も増えた。

労働市場のグローバル化による賃金の下方圧力は韓国だけの問題ではない。しかし国内市場規模が小さく、圧縮型の経済発展を続けてきた韓国では問題の進行も早い。格差が顕在化すればするほど、持ち前の「大らかさ」は「無責任さ」になり、やがて「オーナーへの反感」へと悪化していく。

労働組合があるような大企業なら、「オーナーへの反感」にも「正規の方法」がとられるが、非正規雇用の労働者の多くは労組もなく、行き場のない不満は怠惰となる。不親切な接客は我慢すればいいが、手抜き工事は生命に危険が及ぶことがある。

では、どうすればいいのか。

韓国の人がこういう問題に気づいていないわけではない。知っていたからこそ、今回の船長の件でも、彼に一切の弁明の余地を与えず、そのモラルのなさを罵《のの》った。そのうえで、非正規雇用者の実態や親会社の悪徳ぶりもすぐに問題にできた。でも、実はそれだけではない。韓国の人々は大切なことに気づいていないような気がする。

2 「まさに韓国的」なのか、「日本も同じ」なのか

（二〇一四年五月五日）

†足りなかったもの

珍島沖の旅客船沈没事故から三週間、日本のゴールデンウィークと同じタイミングで、韓国も「子供の日」や「釈迦《しゃか》誕生日」などの祝日が続き四連休となった。楽しみにしていた連休だったけれど、旅客船事故に地下鉄事故まで重なり、多くの人々が予定していた行楽をキャンセルした。

「今回は遠出をせずに、家族とゆっくり過ごしたい」——あらためて家族の大切さを確認し、家族を失った人々を思いやる。違和感があちこちで風景をゆがめる。震災後の日本もそうだったとふりかえる。いや、今もそうかもしれない。

連休の間、ソウル市庁前広場に設置された追悼の場には、子供連れも多く訪れていた。外国人の姿もあった。ボランティアの青年は訪れた人々を前に簡単に事故の現状を語り、

ソウル市役所前の合同焼香所を訪れた市民たち（2014年4月30日、提供：共同通信社）

まだ希望を捨てていないと言った。言いながら泣いた。聞いている人々も泣いていた。

その日、ＪＴＢＣテレビのニュース番組では、哲学科の大学教授と女性弁護士が事件について討論をしていた。大学教授が「今、韓国に必要なのは再発防止のためのシステム」と語ると、女性弁護士はそれを制止しながらきっぱりと言った。

「いいえ、愛です。船長や船員や救助の人たちに、子供たちへの十分な愛があったら、あんなことにならなかった」

愛が足りない？　愛も哀しみも嘆きも韓国中にあふれている。足りないのは愛なんかじゃない。

†規模に比して甚大だった人的被害

今回の旅客船事故は直後から、「まさに韓国的な事故」と言われてきた。朝鮮日報、東亜日報、中央日報、ハンギョレ新聞など韓国の主要新聞は政治的立場に関係なく同じ論調だったし、私の周りの韓国人や在韓日本人もほとんどが「今回の事故で韓国の悪いところがすべて出た。まさに韓国的な事故だ」という言い方をしていた。

日本での報道もそれに近いものがあったのだろう。国際機関で長く途上国支援の仕事をしている友人はそれに反論するようにSNSで、「それは韓国に限ったことではない」と繰り返していた。たしかに事故は規模のわりに人的被害が大きいという点では、まさに「途上国型事故」だった。

「はたして韓国は遅れた先進国なのか、進んだ開発途上国なのか」――米国系投資証券に勤める友人は金融危機の頃、IMF(国際通貨基金)の韓国担当者に聞いたそうだ。担当者は「進んだ開発途上国」と答え、その理由として「都市と農村の格差」をあげたという。

あれから一五年、サムスンという世界企業や韓流といううきらびやかな外観をもつ韓国だが、都市と農村の格差は縮まらない。そして、再度「先進国ではありえない事故」(『朝鮮日報』)を起こしてしまった。事故がきっかけで明らかになったマニュアル無視、安全軽視、さらに企業と政界の癒着などは一九年前のデパート倒壊事故の時とまったく同じで、その変わらなさは人々をゾッとさせた。

とはいえ、今回の事故にあたり「韓国的」と批判されたことの多くは、韓国人や日本人が思うほど、オリジナリティーにあふれたものではないのかもしれない。折しも航空機事故が未解決のマレーシアからやってきた女性は「クアラルンプールでも同じだ」と言った。「事故が起きたら救急車よりもタクシーを呼ぶの。救急車なんてまったく信用できない」

事故の背景として「ケンチャナヨ精神」（大丈夫、大丈夫とあまり深く考えない主義）や「韓国文化」を語る人は多いが、仮にその文化がきわめて個性的だったとしても、問題となるのはそれを管理し、補完するシステムの有無だった。

「日本では紫雲丸《しうんまる》事故がきっかけで様々な基準が強化されたと聞きました。韓国にもそういう具体的なプランが必要だと思います」

恥ずかしながら私は、韓国人の友人に言われるまで、紫雲丸事故のことを知らなかった。岡山県宇野駅と香川県の高松駅を結ぶ連絡船であった紫雲丸は、一九五五年に瀬戸内海で衝突事故を起こし、修学旅行の小学生など一六八名の乗客が犠牲になった。事故後に日本全国の小中学校にプールが作られ、体育の授業に水泳が取り入れられたという。

†海外メディアへの期待

日本で今回の事故を「韓国的」と語る人の中には、日ごろから韓国や韓国人に批判的な人も多い。そういう人が好む雑誌は、内容はともかく見出しから悪意を感じることもある。

現地には日本からも非常に多くのメディア関係者が入ったが、そういう人がいたら残念だなと思う。被害者家族の中には、外国のメディアに期待した人も多かったからだ。

すでに事故から五日目の時点で、KBSとNHKを比べると、明らかにNHKの方が「画《え》が撮れていた」。それだけでもすでに韓国メディアが現地での信頼を失ってしまっているのはわかった。

韓国では歴史的に、自国のメディアに不信感が強まると外信（外国メディア）への期待が高まる。独裁政権時代の言論統制下、「光州事件」をはじめとする事件の多くが外信を通じて白日《はくじつ》の下《もと》に晒《さら》された。ソン・ガンホ主演の『弁護人』という映画でも、日本の毎日新聞がとても重要な仕事をしている。

珍島現地で取材をした朝日新聞の武田肇《はじめ》記者のツイッターには「外国人の私にそんな敏感な話をすることに、驚きました」とつぶやきがあった。日韓関係も最悪といわれる時期（朴槿恵《パククネ》大統領は二〇一三年三月の就任以来、一貫して日韓首脳会談を拒否。安倍首相からの親書も受け取らなかった）に、日本人記者が信頼されるのは意外かもしれない。でも、相手が外国人記者だからこそ伝えておきたいこともある。私が見た限りでは、NHKだけでなくCNNもBBCも、KBSより多くのインタビュー動画を流していた。

メディアの役割は、おそらく記者たちが思っているより多重的なのだと思う。日本人にも原発事故の痛恨の記憶がある。あの時も一部海外メディアの方が、明らかに情報が早く、正確だったのだ。

†なぜ専門家が出てこない?

日本には意地悪な気持ちで「韓国的」と語る人がいるからなのか、それと真逆の意見もよく聞く。今回の事故を「韓国的」と語ることはもちろん、「途上国的」と語ることも差別的だという。

「上から目線の傲慢な態度。韓国で起きている問題はすべて、日本にも共通する」——もちろん安全軽視やマスコミの歪曲報道、政府や官僚の問題などは日本にもないとは思わない。今回の事故で震災や原発事故後のことを思い出すことも多かった。だからといって、「日本も同じ」という言い方は雑すぎる。

韓国の人にとって「韓国人はダメね」と言われるのはつらいことだと思うが、かといって「日本も同じだよ、ドンマイ、ドンマイ」と肩を叩きあうことが救いになるとは思わない。先の紫雲丸事故の話もそうだが、慰め以上に必要としているのは具体的な情報であり、救助や再発防止の方法なのだ。

五月一日、JTBCニュースは日本の渡辺豊教授(東京海洋大学)のインタビューを放映し、大きな話題になった。渡辺教授が「今回の韓国海洋警察の救助をまったく理解できない」と言い、さらに「船尾から行けば最低でも一〇〇名は救えたはず」と証言したことは、韓国の人々にとって衝撃だった。

放映をテレビで見た人がどのくらいいたかはわからないが、ネット上にアップされた動画のアクセス数は八万人に達しようとしている。コメント欄にもたくさんの意見が出ており、その多くは「船尾ではなく前に救助船をつけ、船長や船員から救出した海洋警察」への批判や「我々は後進国だ」という嘆きだが、その中に一つ「まさに」と思う意見があった。

「インタビューに応じない国内の海洋専門家が登場する番ですね」

私も、愛を語る弁護士などではなく、専門家の話が聞きたい。どうして韓国のニュース番組には専門家が出てこないのか。

3　大統領の謝罪、「ごめんなさい」と「キリキリ文化」

（二〇一四年五月一六日）

†「本当に反省しているのですか？」

珍島沖の旅客船事故から一か月が過ぎた。船長以下四人には殺人罪、実質的オーナー兪《ユ》炳彦《ビョンオン》への逮捕状と指名手配、検察による海洋警察への捜査など、事故をめぐる具体的な責任追及が進む中、完成間際のマンションが大きく傾いたというニュースが飛び込んできた。V字型になってしまった二棟のマンション。

「ビルが裂けた！」

びっくりした小学生がスマホの画像を見ながら話しているのを聞いた。それはまるで「韓国の亀裂」を象徴するかのような景色だった。

マンションはその一週間後に完全倒壊し、その日を前後して五月一七日には光化門《クァンファムン》で三万人の追悼市民集会が開かれ、一九日には朴槿恵大統領の国民向け謝罪談話が発表された。

集会に集まった市民は「亡くなった子供たちに申し訳ない」「大人たちのせいでこんなことになった」と涙ながらに語り、大統領もまた「事故の責任は自分にある」と国民に向けて頭を深くたれて謝罪した。

その謝罪風景を見て、韓国在住の日本人の中には違和感をもった人もいた。

市庁前広場の追悼会場。大きく「ミアナムニダ（ごめんなさい）」と書かれている（2014年5月4日、著者撮影）

「韓国の人は本当に反省しているのでしょうか？　市庁前広場にも大きくミアナムニダ（ごめんなさい）と出ていますが、なんか嘘臭く感じる。だって交通ルールとか相変わらず出《で》鱈目《たらめ》ではないですか」

たしかに目の前では、信号で急停車した車が横断歩道上でふんぞりかえっている。思わず「韓国の人たちは本当に反省しているのか。あるいは被害者意識が強すぎて自分たちが加害者になる可能性が考えられないのか」とツイッターでつぶやいた。少々きつい韓国語で書いたのだが、またたくまに過去最高のＲＴ（リツイート）数となり、それは共感を得たようだった。彼らは自らを「安全不感症」と呼んでいた。

それとは別に、「嘘臭い」と言った在韓日本人は「泣き女の伝統もある国だし」とも言った。彼は韓国人の特有の悲しみや嘆きの表出に慣れてなかったようだ。

†亡くなった民間ダイバー

嘘であるはずがなかった。いや、日本人が想像する以上に、みんな傷ついている。長い間韓国で暮らした私は、彼らの多くが思春期の少年少女のように多感なのを知っている。そしてそれがまた問題でもあることも。


珍島沖の事故現場で救助活動中に亡くなった民間ダイバー、イ・グァンオクさん（五二歳）の高校時代の友人という二人に会った。「あいつは行ってはいけなかった」と言う。

「最近潜ってなかったんです。なのに、あんな潮の急な所へ行くなんて……」

イさんには、今回の事故で犠牲となった高校生と同じ年の息子がいた。だから居ても立ってても居られなかったのだという。潮の流れが早い現場での救助活動は、ボランティアの民間ダイバーには過酷すぎた。

「馬鹿なやつ」と言いながら、友人たちはスマホにある古い写真を見せてくれた。セピア色の写真は学生服の高校生、まるで自分の同級生を見ているみたいで泣きそうになった。

「韓国人の悲しみ方はわざとらしい」と言う日本人に会うと、私はこのダイバーの話をする。彼だけではなく、珍島現地にかけつけた多くのボランティアも、追悼の場で涙を流す人たちも、こういう優しい人たちなのである。

ところで、このイ・グァンオクさんの名前が、五月一九日の大統領謝罪談話に出てきた。朴大統領は約二五分の談話の最後に、今回の事故で他人の犠牲となって亡くなった人々の名前を一人一人読み上げた。

そして最後に「民間潜水士の故イ・グァンオクさんの姿に、大韓民国の希望をみました。私はこのような方々こそ私たちの時代の本当の英雄だと考えます」と締めくくったのである。一瞬、身体に冷たいものが流れた。

†「キリキリ文化」とは?

朴大統領の謝罪談話は、日本のマスコミでも取り上げられ、専門家のコメントも寄せられていた。そこでは問題にされていなかったが、私はこの談話の最後の部分と、この時の朴大統領の表情がもっとも印象的だった。

ここで大統領は涙を浮かべた。反政府系の人々の中には「ウソ泣き」と言う人もいた。が、それならまだいい。朴大統領、朴槿恵という人の個性は、このような自己犠牲、英雄主義に深く感銘する。それを国家の希望だと語る。ゾッとした。国家（大韓民国）の犠牲になった国民を称えることは、はたして国家（大韓民国）が国民を犠牲にしないための誓いにできるのだろうか？

ところで、この談話の中で朴大統領は「キリキリ文化」という言葉を使っていた。談話の目玉である「海洋警察の解体」とともに、韓国に深く関心をもっている日本の人々はこの「キリキリ文化」について言及していた。

「今回の事故は私たちの社会全体に長期間にわたって蔓延しているキリキリ文化と官民癒着という非正常な慣行が、どれほど大きな災難を呼ぶのかを示してくれました」

この「キリキリ文化」は、日本の報道では「仲間内文化」「身内のなれあい文化」「なあなあ文化」などと訳されていた。身内もしくは仲間内の排他的な優先、利益山分け、かばい合いなどがその特色である。

今回の件も、船長ら乗組員の個人的資質とともに、彼らと海洋警察、船会社と海運組合などの癒着が、被害を大きくした決定的な要因である。もちろん、これを「韓国固有の文化」と言うつもりはない。日本でも天下り問題は深刻だし、企業と所轄官庁の間の透明性には常に問題がある。

4 「こんな国は捨ててやる」、愛国者たちの悲しみ

（二〇一四年六月四日）

†外国人には理解できない？

先日、知り合って二〇年以上になる古い友人に会った。韓国のパフォーミングアーティストの第一世代、八〇年代から政治的運動とは別の場所で「大韓民国の既存体制」と戦ってきた闘士だ。

「日本の友達に会うと励まされる。ああ、こんな生き方もありなんだと」

彼にとっていちばん大切なのは多様性だった。それが韓国では限られており、その面では日本は先進国だというのが持論だった。そんな彼の世話になった日本人も多い。日韓関係がどれだけ悪化しようと、「外国での経験は大事だから」と若い日本人アーティストの韓国公演を応援してきた。久しぶりの再会だったのだが挨拶もそこそこに、彼はいきなりセウォル号の話を始めた。

「呆れた国だね、わが大韓民国は。高校生が可哀想で、しばらく食事の味もわからなかった。でも、気がついたら、反政府デモが起こり、テレビ局はストライキ、船会社のオーナーは信者に守られて潜伏中。あー、また、これなのかって」

彼は「韓国人の俺が呆れているんだから……」と言って、言葉を止めた。続きは「外国人には理解できない」だろうか。

†「移民したい」という声

今回の件で、あらためて韓国が「思っていたのとは別の国だった」という日本人も少なくない。最新のスマホ、贅沢なマンション、おしゃれなカフェ、そんな華やかな外観からは想像できない韓国の闇の深さ。「過去の日本もそうだった」という人も、「日本の将来を暗示している」という人もいる。日本人もまた、自分たちがどこに向かっているのか、不安の渦中にいる。

日本人にとって、それ以上に理解しにくいこともある。

「涙も希望も枯れ果てた……〝移民する〟という行方不明者家族」(『国際新聞』四月二四日)、「セウォル号惨事、文在寅《ムンジェイン》に会った母親〝すぐにでも移民する〟と慟哭《どうこく》」(CBS、五月三日)など、メディアに「移民」という言葉が頻繁に登場したことだ。

文在寅氏とは二年前の選挙で朴槿恵大統領に敗れた、野党（「新政治民主連合」、のちの「共に民主党」）の元大統領候補である。珍島現地を訪問した彼に、行方不明の子供を待つ母親は泣きながら語ったという。

「先に米国に移民した友人がこっちに来いと言うんです。子供たちを守ってやれないような国にいる必要はないと」

「移民」という言葉だけじゃない。事故から一週間後のハンギョレ新聞にはこんな大見出しが出ていた。

「姉さん、兄さん、もう二度とこんな国に生まれないでください」

記事に添えられた写真にはセウォル号で亡くなった高校生たちの遺影、その前に下級生が一列に並んで手を合わせている。見出しは下級生が書いた追悼の言葉だという。

韓国人といえば愛国心が強いイメージがある。なのに「移民」とか「この国に生まれてくるな」とか。いったいどうなっているのだろう？

そんな空気を読み取ってか、五月二八日にオーマイ・ニュースという市民派のメディアが開いた緊急討論会の冒頭で、希望製作所（二〇〇六年に朴元淳《パクウオンスン》弁護士〈現ソウル市長〉を中心に結成された市民参加型シンクタンク）のイ・ジンス副所長はこう呼びかけていた。

「みなさん、セウォル号事故後に『移民する』とよく言っていますね。冗談でもそれは言わないでください。ここにいなければなりません。移民しないと約束してください」

†なぜ簡単に国を捨てる?

日本人にとって「移民」という言葉は、もはや過去のものかもしれない。先の震災・原発事故でも、放射能被害を恐れて日本を離れた人がいないわけではないが、大声で語られることはなかった。でも、韓国は違う。何かあるたびに、「移民」が大声で語られる。そして実際に移民してしまう人々がいる。

韓国系移民は世界中にいる(戦前からの移民を含めて「在外同胞七〇〇万人」という言い方もある)。戦後の移民がもっとも多いのは米国で、約二〇〇万人と言われている。出発点は日本と同じく一九世紀末のハワイ移民などだが、朝鮮戦争直後の「戦争花嫁」「戦争孤児」などに続き、一九六八年の米国新移民法発効で本格化した。ピークは一九七〇年代後半から八〇年代末までで、毎年三、四万人が米国の永住資格を取得していた。

一日平均一〇〇人の韓国人が移民したとは、その移民熱がいかに激しかったかがわかる。その結果、一九七〇年当時わずか八万人だった在米韓国人の人口は、二〇年の間に約二〇倍にふくれあがった。私が韓国に留学した一九九〇年代初頭でも、南大門《ナンデムン》市場に行くと巨大なキャスター付きバッグが「移民カバン」の名前で売られていた。

九〇年代以降になると「教育移民」と呼ばれる人が主流となり、行き先も米国だけでなくカナダやオーストラリアなど世界中に広がった。新聞の広告欄にまるでパッケージ旅行を誘うかのような移民募集広告が出ていた時期もある。「移民セミナー」や「移民博覧会」が定期的に開催され、私も何度か取材したが、参加者の発言にはいつも驚かされた。

「子供を留学させたいが、そんな余裕はないので一家で移民したい」「子供の成績が悪いので、移民して新天地で出直させてやりたい」

移民の理由が身近すぎるのだ。

†韓国人の「愛国の作法」

今度の事故を巡っては、日本以外の海外メディアも、さまざまな戸惑いの表情を見せた。その中で特に印象的だったのは、「フェリー沈没事故を韓国人はなぜ〝恥〟と感じるか」（ジェフリー・ケイン）という記事だった。
「欧米では、このような悲劇的な事故と国家的威信、恥、自尊心とを結び付けて内省するといった反応は起きないだろう」（『ニューズ・ウィーク』日本語版、二〇一四年五月二六日号）
この「恥の思想」は日本も共通だと欧米メディアでは分析されていた。ところでこのニューズ・ウィークの記事はその元記事であるグローバルポストの記事と結語が違うことを、あるブロガーの指摘で知った。

「ここは日本版の記事になぜか掲載されていない」（『極東ブログ』二〇一四年四月二二日）とされたのは、二〇〇七年の「バージニア工科大学銃乱射事件」について触れられた部分だった。三二名もの犠牲者を出した事件の犯人チョ・スンヒ（二三歳）は、八歳の時に一家で米国に移り住んだ韓国系移民だった。事件の詳細が伝わるや、韓国はパニック状態となった。

「韓国人として米国の皆さんに申し訳ない」という言葉が巷《ちまた》にあふれ、ソウルの米国大使館前では「謝罪と追悼のロウソク集会」が開かれた。米国国務省が「韓国系移民が起こした事件であり、韓国が起こしたわけじゃない。これは米国社会の問題だ」と韓国政府の弔問団を拒絶しても、韓国人の気持ちは収まらなかった。

今回の事故後の韓国社会もこの時とよく似ていた。国民が一つになって嘆き、悲しみ、そして謝罪をする。国家を背負い、まるで国家と一体化しているかのようだ。なのに、どうして移民する？「こんな国はもううんざり」とか「もっと未来のある国に」と、念願のアメリカ市民権を手に入れれば、それで韓国人をやめてしまえるのか。

今、米国では「慰安婦」を象徴する少女像の設置運動が広がっている。その運動の中心には移民した在米韓国人たちもいる。彼らは祖国を置き去りにしたわけではない。

5　分裂する韓国社会

（二〇一四年一一月一三日）

†船長への判決

一一月一一日、光州《クアンジュ》地裁はセウォル号の船長だったイ・ジュンソク被告（六九歳）に対し、懲役三六年の判決を言い渡した。検察は船長以下四名に殺人罪を求刑したが、それが適用されたのは機関長のみ。ただ、それは「怪我をして動けなくなった同僚を見捨てた罪」であり、乗客に対しての殺人罪が運行スタッフに適用されることはなかった。

判決に関しては日本でも関心がもたれていたようで、その日の夜のＮＨＫワールド（海外向け放送）のニュースでも見ることができた。

ＮＨＫのニュースでは韓国法に詳しい専門家などのインタビュー等を加え、「殺人罪が適用されなかったのは妥当」というニュアンス。一方、韓国ＫＢＳは求刑の時と同様、その件に関しては事実関係以上の深い言及はなかった。韓国の地上波は明らかに機能不全に陥っていた。

とはいえこの日、韓国のニュースは久しぶりにセウォル号関係で埋まった。トップは事故から二〇九日目にして行方不明者の捜索の打ち切りが決定したというニュースだった。

「大切なのはダイバーたちの安全ですから……」

憔悴《しょうすい》した様子の家族の会見は胸が痛むものだった。それを見ながら、東日本大震災後に素手で瓦礫を掘り起こし、家族の遺体を探していた被災者の人々を思い出した。

ある韓国人医師はこんな話をしてくれた。

「うちの病院に五月になると必ず具合が悪くなって来院するおばあちゃんがいるんです。その月に子供さんを亡くしたそうで。もう七〇年以上になるのに、その月になると体が泣くと」

†セウォル号の話を避ける人々

「子供を持つ親なら」という言い方は好きではないが、でもやはり体がバラバラになるような絶望は、他のことでは想像しにくい。セウォル号事故は直接の犠牲者家族だけでなく、一般国民、特に母親たちの心身をも害した。他のことを考えられない、何をしていても涙が出てくるという人がたくさんいた。九・一一後の米国や震災後の日本もそうだった。

「妻は新聞やニュースを見なくなりました。セウォル号という名前を聞くと、身体の震えが止まらなくなる」

この友人には亡くなった高校生と同じ年の娘さんがいる。今でも事故について奥さんと会話はできないという。

そういう話を聞くと、セウォル号事故についての報道が、限定されたものではあるのも仕方がないかなという気持ちになる。たとえば、九月末にフジテレビ系の「Mr.サンデー」で放映された「韓国セウォル号沈没の真相」というスペシャル番組は、韓国の一部でも話題になった。

「ここまで詳細な生存者の証言や映像をまとめた番組は今までなかった」と、それを賞賛する声も聞いた。日経ビジネスには「日本のテレビに感謝！——セウォル号事故の真相究明を忘れない」という記事も掲載されていた。

「番組の最後で、生き残った高校生らは、次のように話していた。『韓国政府は、私たちが法廷で証言しても真相究明のために何もしてくれない。どうして事故が起きたのか、この取材で少しでも真実を明かしてほしい。他の国の力を借りてでもなんとかしたい。日本のテレビが取材してくれたことに感謝する』」

確かに、よくここまで作ったなと思った。特に日本のテレビ局と韓国の高校生を結んだ韓国人スタッフの熱意に頭が下がった。しかし、この番組が韓国で放映されるべきなのかはよくわからなかった。悲しすぎて見たくないという人々がいるからだ。

†「聖域なき真相究明」を

でも、やはり傷は対症療法ではなく、根本的な治癒が必要である。そのためには事故の真相究明がもっとも重要なのだが、今、韓国の国論は二つに割れている。一つは「聖域なき真相究明」を望む人々。もう一つはそんな人々を「朴大統領を攻撃するためにセウォル号沈没事故を利用している」と批判する人々だ。

両者の意見の対立によって国会は麻痺し、市中心部の光化門では真相究明を求める遺族らの長期のハンストが続いている。今回の「捜索打ち切り」に関しても、両者の意見は対照的だ。

「海中の捜索が終了し、一審判決が出たからといってセウォル号の惨事を忘れることは許されない。七か月近くにわたる捜査と裁判の過程でも、惨事の真実は完全に明らかになったわけではない。セウォル号特別法に基づいて活動することになる特別調査委員会と特別検察は事故の真相を明々白々にしなければならない」

このように、前者を代表する京郷新聞が「まだ終わっていない」と書けば、後者に位置する中央日報の社説は次のような意見を展開する。

「国会は七月にセウォル三法を通過させた。折しもイ・ジュンソク船長に懲役三六年を宣告する一審判決も出た。この状況での海中捜索の終了決定は、単純な事故収拾を越えた、新しい出発点になるべきだ。まず、遺族のみなさんには光化門での抗議行動を中止していただきたい」

遺族のハンストに同調する映画人たちのテント。ポン・ジュノ、ソン・ガンホ、パク・チャヌクらのメッセージもある（2014年8月24日、著者撮影）

†「今の韓国に言論の自由はない」？

そもそも、韓国の主要メディアはセウォル号事故の話題を避けている。

「韓国のマスコミは正常ではないのですよ。二代にわたる保守政権の圧力で、優秀な記者はみんなパージされてしまった。残ったのは大統領の顔色を窺《うかが》うような連中ばかり」

かつてMBC（文化放送）のキャスターを務めていた友人記者は吐き捨てるように言う。MBCは大規模なストライキの処分で、報道関係の記者が数多く現場から追われ、ニュース時間そのものが短縮されてしまった。今、「信頼できるのはハンギョレ新聞や京郷新聞などごく一部」と彼は言うが、しかしその二紙が国民の絶大な支持を得ているようにも思えない。同じ頃、真逆の意見を、外資系企業で働く韓国人から聞いた。

「野党支持者はなんでも政府や企業が悪いと言う。でも、彼らが庶民に寄り添うのはポーズだけ。セウォル号事故は本当に気の毒だし、遺族の悲しみはわかる。でも、国は経済活動を活性化させ、前に進まなければいけない。野党や左派メディアは遺族を利用して荒唐《こうとう》無稽《むけい》な要求ばかりしている」

驚いたのは彼が「今の韓国には言論の自由はない」と言ったことだ。「言論の自由がない」というのは野党や進歩系の人々がよく口にする言葉で、彼のような保守系の人の発言としては意外な感じがした。

「友人同士の集まりでも、セウォル号の話など誰もしませんよ。政治の話はタブーなんですよ。話をしたら大げんかになるのはわかっている。SNSなどでは過激な発言を見かけますが、リアルな付き合いでは差し障りのない話しかできません」

なるほど、セウォル号の話は「政治的案件」であり、それは友人や親戚の集まりでは出せないということか。一方でフェイスブックやツイッターなどでは過激な意見が盛り上がる。それは日本も同じだが、韓国は日本より同窓会や親族の集まりが多いので、気を使う機会も多いのかもしれない。

彼が言う「言論の自由がない」は政府の弾圧云々ではなく、韓国社会を覆う空気。あまりにも深くなった社会全体の亀裂の結果である。彼はこんなことも言っていた。

「私は朝鮮日報を購読しているのですが、妻はそれを友人たちに隠しています。妻の友人には野党支持者が多いのです」

朝鮮日報は保守系の親玉的新聞だ。それに対立するのが進歩系のハンギョレ新聞や京郷新聞である。メディアだけが「及び腰」なのではなく、人々の日常会話も重苦しくなっている。その鬱憤《うっぷん》を晴らすかのようにネットは匿名書き込みで荒れる。その背景にはどんな韓国的事情があるのだろうか?

○追記

船長ら乗組員一五名に対する裁判は、その後二〇一五年四月二八日に控訴審の判決が出て、ここでは「船長が脱出前に乗客に退船命令を出さなかったこと」に対し、「未必の故意」として殺人罪が適用され、無期懲役が宣告された。他の乗組員に対しては懲役一年六か月から一二年と、一審から多少の減刑となった。その後一一月の最高裁ではこの高裁判決が支持され、刑は確定した。

一方、海洋警察等による救助の失敗については、現場に派遣された第一二三艇の艇長が懲役三年となっただけであり、組織上部の指示体系についての責任は問われておらず、遺族グループや支援者による「セウォル号事件」の真相究明要求が続いていた。多くの人々が指摘してきたように、セウォル号の惨事は気象条件や人為的なミスによる事故などではなく、徹底した真相究明が必要な「事件」だった。

二〇二〇年一月、検察は当時の海洋警察庁長等幹部六名の逮捕令状を請求、事故から五年九か月ぶりに身柄の拘束に乗り出すなど本格的な捜査を開始した。また事故当時にKBS社長に電話して「海洋警察の批判を控えるように」などと放送内容の変更を要請していた元大統領広報秘書官に対しては大法院で有罪判決が確定した。

6　真ん中の人は沈黙するのか、吸収されるのか

（二〇一五年一月一九日）

†少数の大声と多数の沈黙

一つの問題をめぐり、人々の意見が真っ二つに分かれるのは韓国だけじゃないだろう。本当は真っ二つではなく「どっちの気持ちもわかる真ん中の私」も多いのだけど、そんなサイレントマジョリティよりも、大きな声の少数者が目立つのが昨今の特徴だ。そのせいで、社会のいたるところが分裂し、喧嘩ばかりしているように見える。

セウォル号事故についても例外ではない。

「子供たちを亡くした気の毒な遺族に、国は十分な補償をするべきだ」

そこには「国民的合意」がある。しかし、税金が使われる以上、公平でなければならないという。

「セウォル号事故以外でも、手抜き工事やずさんな管理の犠牲になった人々はいるでしょ

う。彼らだけを特別扱いにするのはおかしいと思うのですよ」

セウォル号特別法制定に批判的だった人々の多くは、「公平性」を問題にしている。今や民主主義の国々に共通のテーマだ。

ところが、その静かな疑問よりも、「特別法を推進している連中はみんなパルゲンイ(赤という意味の韓国語。共産主義者を悪く言う時に使う)。背後には北朝鮮がいる」という極端な意見が拡声器で叫ばれ、それとともに「遺族は賠償金目当てだ」とも吹聴された。この「大きな声」に同調する少数が、なんとハンストをする遺族の目の前で、ピザやチキンを食べまくる「飽食パフォーマンス」なる幼稚な嫌がらせまでした。

これに対し、遺族グループのメンバーは「我々はお金のことなど一度も言ったことがないのに」と困惑の表情を見せる。

「補償金とか賠償金、遺族への特別措置云々は政治家たちが勝手に出してきた法案です。我々遺族は事件の真相究明以外、何一つ要求など出していないのです」

被害者のストイックさは伝わらないことが多い。「カネ目当て」と思うのは「あなた」がそうだからであって、遺族側は「本当のこと」が知りたいだけのだ。

年が明けた二〇一五年一月六日、「セウォル号惨事被害救済および支援などのための特別法」(「セウォル号特別法」)がようやく与野党合意をみた。ここには被害者への補償、慰労金の支援だけでなく、「特定地域への支援」も組み込まれていた。「特定地域」とは救助や収拾活動で「被害をうけた」(『朝鮮日報』)珍島郡のことだ。

島は救援活動のベースキャンプとなり、行方不明者の家族は島の施設に長期にわたり泊まりこんだ。事故関連で特定地域の居住者対象に損失補償がされるのは異例のことだ。さらに、各大学では被害にあった当該高校の生き残った学生に対し、特別枠を設けるなどの措置もとられることになった。

†韓国社会を分断するもの――日本との共通点と相違点

年頭に経済学者の田中秀臣《ひでとみ》さんの「社会の分断を深めない政治を」という論説を読んだ(『iRONNA』二〇一四年一二月一四日)。その冒頭にこんな一節があった。

「この十数年、日本社会はふたつの意味で分断されてきたと思う。ひとつは経済的分断、もうひとつは認識上の分断だ」

経済的分断とはすなわち経済的格差のこと。日本の経済格差が深刻な背景には、「①長期のデフレ不況」と「②低所得者層への再分配政策の失敗」が挙げられている。一方、認識上の分断の代表例としては、「対抗的ナショナリズムの勃興と『逃げ切り世代』の価値観の浸透」とある。

韓国においても「社会の分断」は、経済的分断と認識上の分断の二つだ。経済格差は日本以上に顕在化されており、人々の不満や怒りも膨らんでいる。

格差が目立つのは財閥企業への富の集中が激しく、さらに例のナッツ・リターン事件(二〇一四年一二月五日、ジョン・F・ケネディ国際空港で離陸途中の大韓航空機が、搭乗していた副社長の一存でゲートに引き返した事件)にあるように、彼らのふるまいが目に見えて高圧的なのも一因だ(韓国語には「カプチル」という言葉がある。カプは「甲乙丙《こうおつへい》」の甲という漢字。権力の上位にある甲の横暴を表す韓国的表現。普通にパワハラと翻訳されることが多いが、もっと怖いイメージがある)。

さらに再分配を支えていた親族共同体が崩壊しつつあること。これは重要だ。過去には金持ちの親戚が援助をしてくれたのだが、最近は何もしてくれない。よって再分配がされないばかりか、身近なところで格差への不満や怒りや嫉妬が蓄積される。ただ、日本のような「逃げ切り世代」はまだできていない。年金制度は歴史が浅く、韓国の高齢者自殺率は世界一、高齢者の約半数が貧困であり、それを支えるすぐ下の中高年もしんどい。

よって、世代対立といえばもっぱら高齢者から若者への不満が中心であり、日本のような下から上への不満は少ない。もちろん、韓国でも若者の非正規雇用問題などは深刻で、上に改善を訴えるデモなどは日本以上に激しい。でもそれが「世代間」とならないのは、上に行けば行くほどもっと大変だから。韓国は国全体がつい最近まで貧しかったため、現状では若者は上の世代よりは自分たちが恵まれていることを知っている。

さらに日本との違いでいえば、韓国で「逃げ切り」はストレートに「移民の思想」であり、とりあえずお金を貯めこんで海外不動産などに投資し、国を離れても生きていけるようにすることだ。これは主に富裕層の行動様式だが、影響力は大きい。低所得層でも何かあると「こんな国は捨てて移民する」となる。

一方で「認識上の対立」の風景は、これまでも見てきたように日韓でよく似ている。たとえば、日本には政治的に対立する相手に「反日左翼」という言葉を好んで使う向きがあるが、韓国では「親北左派」という言葉が拡声器で叫ばれる。対して、カウンターの拡声器からは「ファッショ的朴槿恵政権打倒」。

真ん中の人々はますます沈黙するのか、両サイドに吸収されるのか、あらたな極をつくるのか。韓国のほうが日本より先に動きそうな気がする。

○追記

この時の予想は二年後に実現した。二〇一七年一月、光化門広場には「真ん中の人々」が集結して、機能不全となった朴槿恵政権を打倒した。

7　セウォル号事故から一年、韓国社会の苦悩

（二〇一五年五月一九日）

†日本と韓国の「印象のずれ」

「セウォル号沈没事故から一年ということで」と、原稿を頼まれたときはちょっと悩んだ。

この事故は日本人にとってもいまだに大きな関心事なのか、一周年にあたっても日本から多数のメディア関係者が現地を訪れて取材をすると聞いていた。現場海域にチャーター船まで出して取材できる大手メディア以上のことを、一在住者である私ができるはずもない。何を書けというのだろう？　それ以前に、日本の大手メディアはどうしてそこまで隣国の事故にこだわるのだろう？　彼らは何を伝えようとしているのか。

「印象のずれ」があるのを感じる。どうも彼らが伝える、つまり日本で報じられる韓国の様子が、現地で感じるものと違う気がするのだ。

メディアによって作られる印象と現地の状況に「ずれ」が生じることはよくある。たと

えば台風報道などでも、ニュース映像から伝わる大変な状況に心配して電話してみると、実はそれほどではなかったということがある。ただ、日韓では時にそれが外交問題に深刻な影響を与えたり、国内マイノリティへの攻撃に結びつくこともある。その意味で、角度の違う見方で、大手メディアが作り出す印象に補足を加えるのは大事なことかもしれない。切り取られる映像や少ない字数内にまとめられる報告の、その背景に何倍もの分量の日常がある。それを知る現地在住者は、多少なりとも「ずれ」を補正できるかもしれない。

†激高と沈黙のはざまで

そこで、まず伝えたいことは、「人々は常に寡黙だった」ということだ。

メディアでは過激なデモや警察の弾圧の様子ばかりがクローズアップされ、「韓国人はなんで静かに追悼できないんですか」と言う人までいた。

でも、この一年間、韓国の人はとても寡黙だったのだ。

二〇一四年四月の事故発生以後、私自身も韓国の一般市民と同じように、追悼の場に何度も足を運んだ。ソウル市庁前広場の追悼会場、犠牲となった高校生たちが暮らした安山《アンサン》市、今も遺族や支援者による抗議行動が続く光化門広場。そして事故があった珍島のペンモク港、そこにあったのは圧倒的な「静けさ」だった。

ペンモク港。被害者の高校生たちの携帯電話に残った写真と出来事を印刷した横断幕（2014年11月1日、著者撮影）

「亡くなった子供たちが可愛そうで、家にいても涙が出てくるし……」

安山の慰霊会場に向かうバスで隣り合った人は一言だけそう語った。

「寒かったら、中にお入りください」

珍島で海を見つめる私たち家族を店の中に入れてくれた人は、それ以外何も語らなかった。

メディアの行く先々は常に怒号や叫びにあふれていたかもしれないが、一般市民の取り組みはそれとは正反対だった。

事故はあまりにも残酷で、失った悲しみははかりしれない。言葉は重ねるほど空虚に響く。どこから来たのか、どういう立場なのか、お互いに何も聞かない。「みんな悲しみの共同体の中にいる」と思っていた。しかし後になって思うと、それは幻想だったのかもしれない。

†静かな追悼は引き裂かれた

事故からちょうど一年目の今年（二〇一五年）四月一六日、ソウルには冷たい雨が降っていた。

「これは亡くなった人々の涙だ」

そう思った人は多かったようだ。

数日前からテレビなどではセウォル号関係の話題を取り上げており、それぞれが一年前のことを思い出した。でも、皆あえてその話題にはふれようとはしなかった。

それでもと思った人々が、お昼休みに光化門の追悼会場を訪れていた。献花台の前には長い列ができ、そこには会社員風の女性や背広姿の男性などもいた。近隣のオフィスで働く人たちだろう。皆、無言で順番を待ち、静かに遺影に手を合わせる。もう何度も見たはずなのに、遺影の高校生たちを見ると、やはりみんな泣いてしまう。

長い列には外国人の姿もあった。

「デンマークから来た学生さんです。別の目的の訪問だったのですが、このことを知って急遽ここに来たいと言われて」

そのうちの一人の女子学生は、同世代の学生の遺影を前にずっと泣いていた。それを見た人々が、あらためて、また涙を流す。しめやかな追悼の場所だった。

一方、内外の主要メディアはこの日、他の二カ所の「現地」に集まっていた。事故現場の珍島ペンモク港と、高校生たちの母校がある安山の追悼会場である。珍島では南米歴訪の前に立ち寄った朴槿恵大統領が、安山では李完九《イワング》首相がそれぞれ遺族らによって弔問を拒否されていた。さらに翌朝のニュースでは、光化門広場で徹夜の座り込みをしていた遺族と支援団体のメンバーが警察と衝突して一〇人が連行、遺族の一人が肋骨を折ったというニュースが流れていた。

「遺族が連行されるとは、いったいどうなっているんでしょう?」

ニュースを聞いた時、たまたま一緒にいた韓国人は、それに舌打ちをするだけで無言だった。

結局、政府関係者も出席する予定の一周年の公式追悼式典はキャンセルされ、その代わりに行われた支援団体主催の追悼行事では参加者が警察と衝突。一〇〇名もが連行される事態となった。

「既視感がある」、SNSでは古くから韓国を知る日本人が一様につぶやいていた。彼らはかつての民主化闘争や数年前のロウソク集会を例に挙げていたが、果たして「事故」は政治闘争になっていくのだろうか?

†なぜ怪我人や逮捕者が？

セウォル号事故一周年の追悼集会で多数の逮捕者やけが人が出た数日後、仕事のためソウル市中心部に出た私はひどい渋滞に巻き込まれた。遅々として進まないバス。スマホに熱中していた人々も顔を上げてキョロキョロしている。

「何でしょうね？」

隣にいた年配のご婦人が話しかけてくる。

「デモみたいですよ」

ご婦人は「毎日、こんなことでどうするんだ……」と話し始めた。六〇代半ば？　の世代ではありがちな反応である。そういえばハンギョレ新聞にこの件に関する世代差を書いた大学教授の投稿が載っていた。

「私は韓国の政治の最大の誤りの一つは、まさに年齢および階層間の葛藤を固定化させ沈黙させてしまったところにあると考える。人権と生命、安全と未来の問題として眺めなければならない昨今の問題さえ、全て政治的フレームに入れて国民を分裂させた」（「寄稿」「あなたならどう思う、セウォル号遺族に対する大学教職員たちの会話」〔二〇一五年一月一一日〕）

渋滞の原因はやはりデモだったが、セウォル号関連ではなく公務員の年金問題だった。しかし会場の公園には労組の旗とともに「セウォル号」のノボリも出ており、ここでも重要なテーマということなのだろう。集会が行われていた公園をやっとのことで通りぬけ、打ち合わせの場所にたどりついた。

先に到着していた社長に、少々の遅れを詫びながら今見てきたことを話すと、彼はこんなことを聞いてきた。

「どうして韓国のデモや集会では、大勢のけが人や逮捕者が出ると思いますか？」

†佐世保エンプラ闘争は知りませんが

いきなりの質問に戸惑う私に、社長は言った。

「警察がダメだからですよ」

どちらかといえば現政権支持の社長にしては珍しい警察批判だ。と思ったのだが、続く話の展開は意外だった。

「日本の警察だったら、あれぐらいのデモは完璧に管理しますよ。私は学生時代にいろんなデモを見てきました。佐世保のエンプラ闘争とか聞いたことあるでしょう？　あの時代のデモと比べたら、韓国のデモなんて実にどうってことない。なのに毎回、けが人やら逮捕者を出している。あんなのは警察がへなちょこだからです」

佐世保闘争はさすがにリアルでは知らないが、昔の日本の学生運動は映像で見たことがある。ヘルメットに角材に火炎瓶……。たしかに現在の韓国のデモ参加者は素手だし、特にセウォル号関連は、亡くなった高校生の遺族など普通のお母さんたちも参加している。

ちなみに、この団塊の世代の社長は日本生まれの在日韓国人二世で、日本で大学を卒業した後に韓国に「帰国」、後に日本の永住資格も放棄して「本国人」になった。その意味では民族意識のとても強い人だ。韓国にはこんな「元在日」の方も少なからずいる。彼らのグループとは時々一緒に仕事をしているが、独特の立場からのリアルな意見はとても参考になる。

それにしても原因は「暴力デモ」でも「不当弾圧」でもなく警察の問題とは……。韓国のメディアなどでは指摘されないポイントだ。

たしかに先月のリッパート駐韓大使襲撃事件（二〇一五年三月五日にマーク・リッパート駐韓国大使はソウルの世宗《セジョン》文化会館で会食中に刃物で切りつけられて重傷を負った。以前に日本大使襲撃などの前科もある犯人のキム・ギジュンは二〇一六年に殺人未遂等の罪で懲役一二年の判決を受けた）などもそうだし、韓国警察の警備体制は常に問題になってきた。なによりもセウォル号事故の被害を大きくしたのは「海洋警察の大失態」だった。

沈みゆく船を目の前にしての、信じられないような無策。誰一人として船内に飛び込むこともなく、一人も救出できなかった。「専門家はいなかったのか？」「現場の指揮官は何をやっていたんだ！」「軍との連携は？」

内外の多くの人々が、救出作戦の映像を見ながら自らの目を疑った。大統領も救出作戦失敗を認め、国民に謝罪した。

「謝罪や反省の弁、責任者の処罰。そういうことは素早いんです。ダメな組織だからと解体するのも早い。そして新たなトップが新体制を作る。切り替えが早いのは悪いことではないのですが、だから、いつも素人集団……」

繰り返される大型事故、その度の反省や謝罪。しかし、それが具体的な改善につながらない。

†反省や謝罪の積み重ね

韓国社会を見ていると、「積木くずし」だなと思うことが多い。古い市街地にブルドーザーが入り、不便な暮らしを一掃する。ハイテク完備の高層ビルが並ぶソウルや釜山の街並みに、韓国人も過去との断絶を嘆くが、それは単なるノスタルジーにすぎないのだろうか。風景が失われることで、経過が忘れ去られる。積み重ねが無にされることに不安を感じる。

これは街並みだけでない。

セウォル号遺族と政府の間の交渉も、遺族側は現時点での賠償金を拒否しており、「まずは徹底した真相究明を」という要求だ。遺族がほしいのはお金ではない。失った命は戻ってこないのだから、せめて真相が知りたいと願うのは、この事故の犠牲者遺族に限らない。にもかかわらず、賠償金の金額ばかり報道するメディアには悪意すら感じる。それに乗っかって下衆《げす》な発言をする輩《やから》には絶望もする。

でも国民の多くは善意の人々なのだ。だから遺族の皆さんは国民からの義援金部分だけでも受け取ってほしいと、私自身は思っている。社会全体の誠意はそれとして評価し、感謝しないと、運動はますます孤立する。その上で、運動体としてゴールへの道筋を示すべきだと思っている。

実現可能な目標を定め、成果を積み上げていくこと。せっかくすすめたコマをふりだしに戻すどころか、そのすごろく自体を白紙に戻してしまっては、双方が疲弊するばかりだ。

実は「慰安婦問題」に関しても、同じことを感じている。「アジア女性基金」(一九九五〜二〇〇七年)までの積み上げを、日韓双方から無にしていくような昨今の動き。でも、このことは今回のテーマではないので、これ以上は踏み込まないが。

ただ、気になったのは、同じような関心で書かれたと思われる、アン・ヨンヒさんの「セウォル号事故から一年、日韓関係の溝を見た」(『JB press』二〇一五年四月二一日)という記事だ。日頃の冷静なアンさんらしくない文体、残念ながら誤解をまねく記述も多い。怒っているなという印象。彼女のやるせなさに、韓国社会の苦悩を見た。

第 2 章

政 変——政治参加する人びと 2016～17

2016年11月12日夜、ソウル中心部の道路が朴槿恵大統領の退陣を求める大勢の人で埋め尽くされた（提供：朝日新聞社）

2016年	
1月 6日	北朝鮮が4回目の核実験(「初の水爆実験」と発表)
2月	韓国政府、開成工業団地の操業中止、閉鎖へ
4月13日	総選挙で与党セヌリ党が大敗、過半数を大きく割り込み、第一党からも転落
5月	江南駅通り魔殺人事件。女性たちのデモ
7月	韓国に最新ミサイルTHAAD配備を決定(配備賛成56%、反対31%)、中韓関係悪化、韓国への団体旅行自粛など
9月 9日	北朝鮮が5回目の核実験
10月下旬	崔順実ゲート発覚
11月	朴槿恵大統領への批判が高まり、週末ごとに光化門広場で大規模なロウソク集会が開かれる
23日	日韓秘密軍事情報保護協定(GSOMIA)締結
12月 9日	韓国国会、朴槿恵大統領の弾劾決定、大統領の職務停止
2017年	
2月17日	サムスン副会長を贈賄容疑で逮捕
3月10日	憲法裁判所、朴槿恵大統領の弾劾決定、即時罷免
31日	朴槿恵元大統領逮捕
4月 9日	セウォル号の引き揚げ作業完了(沈没から3年)
5月10日	文在寅大統領就任
18日	光州民主化運動37周年の記念演説
7月16日	最低賃金引き上げ決定。過去最高の引き上げ幅。公約では任期内に1万ウォンへ
8月 2日	映画『タクシー運転手』が公開、大ヒット
8月25日	サムスン副会長に懲役5年(求刑懲役12年)の実刑判決
9月 3日	北朝鮮が6回目の核実験

1 朴大統領への巨大な怒り、しかし謎は残る

（二〇一六年一一月四日）

†再び政治の季節がやってきた?

「辛《から》い」は韓国語で「メプタ」という。主に料理の味などに使われる表現だが、時には空気を表すときなどにも使われる。たとえばデモの鎮圧に催涙ガスが発射され目や鼻が痛くなるとき、人々はそれも「メプタ」という。私が韓国に留学した九〇年代初頭も、学生街の空気は常に辛かった。

またもや韓国にそんな政治の季節がやってきたのだろうか。日本とは違い、韓国ではデモや集会など国民の大衆行動が国の方向を左右する。よって、ここ数週間における人々の動きが注目されるのは、多くの識者が指摘する通りだ。

大統領とお友達をめぐる一連の大スキャンダル。機密文書の流出、背後に存在する崔順《チェスン》実《シル》という女性、彼女の娘の大学不正入学疑惑、財団資金の私物化等々。いわゆる「崔順実

ゲート」について、この間の流れを時系列にならべると次のようになる。

九月二〇日　ハンギョレ新聞が朴槿恵《パククネ》大統領の「秘線《ビソン》」（七二頁参照）として崔順実の名前を報道

一〇月一九日　崔順実の娘の不正入学に抗議する集会が梨花女子大学で開かれる

一〇月二四日　JTBCテレビが崔順実のタブレットPCを入手。その中には朴槿恵大統領の演説草稿や大統領府の機密文章など四四点が含まれていた

一〇月二五日　朴槿恵大統領の謝罪会見。「側近の民間人女性」に意見を聞くために大統領府の資料を渡していたことを認める

一〇月二九日　光化門広場で大統領退陣を求めるロウソク集会（主催者発表三万人）

一〇月三〇日　崔順実が逃亡先のドイツから帰国、朴槿恵大統領の側近「ドアノブ三人衆」（大統領秘書室のチョン・ホソン、アン・ボングン、イ・ジェマン）の更迭《こうてつ》

一〇月三一日　崔順実の緊急逮捕

一一月　四日　朴槿恵大統領、二度目の謝罪会見、第二回ロウソク集会（主催者発表二〇万人、警察発表四万五〇〇〇人）

一一月に入り、事件は日本でも注目されるようになった。

「朴槿恵大統領が民間人に機密文書を渡していた問題などをめぐり、検察当局は一〇月三一日深夜、文書を受け取っていた支援者の女性崔順実氏を緊急逮捕した」(『朝日新聞』一一月一日)。さらに同日の朝日新聞にはこんなタイトルの記事もあった。

「朴政権『陰の実力者』を逮捕『死ぬほどの罪犯した』」

うーん、これはちょっと直訳すぎる。「死ぬほどの罪……」という表現は、韓国では謝罪するときの常套句《じょうとうく》で、文字通りに受け取ってはいけない。「私が悪かった。本当に申し訳ありません」という程度のニュアンスだ。

さらに、勇み足の韓国メディアの報道からは漏れているが、実際にはかなり謎めいた部分もある。そもそも「機密文書が外部へ流出」というスクープの決定的証拠となったタブレットPCの入手経路が不可解だ。

しかし、すでに政治の潮目が変わったのは間違いない。一一月四日現在の大統領の支持率はなんと五パーセントまで落ちた。国民の怒りはすさまじい。

†「四・一九のような革命を！」

韓国人は感情表出がストレートであり、人々の怒りを目撃する場面は多い。しかし、今回は特別だ。それを感じたのは、ＪＴＢＣのスクープから五日後の一〇月二九日、偶然に入った町内の美容院だった。

六〇代後半の美容師さんとそこに集う高齢の常連さんたちは、みんな怒っていた。まさに口から泡を飛ばして怒っていた。まだ怒り足りぬというように、この数日間の怒りを復唱していた。「ムーダン（巫堂、韓国のシャーマン）に操られる国」「あんなひどい女に」「せっかく選んでやった大統領が」「父親が泣いている」

驚いたのは、その先だ。

「今こそ、学生たちが立ち上がるべきだ」

毅然と言い放ったのは、最年長の、おそらく八〇代半ばと思われる女性だった。

「四《サー》・一九《イルグ》の時には、新村《シンチョン》ロータリーに学生たちが集まって……」

四・一九とは李《イ》承晩《スンマン》政権が倒れた、一九六〇年四月の学生革命のことである。

先輩方、話がそこまで戻りますか……と驚いたが、つまりはあの時のように「革命」を起こしてほしいとまで発言しているのだ。

これまでも高齢男性による「怒りの床屋談義」はあちこちで見てきたが、高齢女性がここまで怒るのを見たのは、二五年韓国で暮らしてきて初めてだった。これはただならぬことである。

†「私たちの朴大統領」という思い

彼女たちの悔しさは、朴槿恵大統領に裏切られたという思いだ。

四年前の大統領選挙、直前まで野党有利と言われていた状況を、最後の最後にひっくり返したのは「高齢者パワー」だった。寝込んでいる友達まで引きずり出して投票に行かせた高齢層の思いは一つだった。

「私たちの朴槿恵嬢を助けてあげなきゃ」

結果、六〇代以上は七八・八パーセントという高投票率となり、朴槿恵候補の逆転勝利となった。その後も高齢層の熱い思いは変わらず、政権を支え続けた。セウォル号事故やMERS（マーズ、中東呼吸器症候群）騒ぎで、家族みんなが政権批判をする中にあっても、大統領をかばい続けた。それがここに来て、ものの見事に裏切られたのだ。

「だから言わんこっちゃない」

と、面と向かって若い人たちに言われたわけではない。でも、家族でニュースを見ているといたたまれなくなるという。だから同世代の友達がいる美容院にやってきて、思いの丈《たけ》を語る。彼女たちの怒りのポイントを要約すると、以下のようになる。

「大事にしてあげた朴槿恵嬢が、あんなイカサマ宗教一家とつるんでいた。なんともひどい裏切り行為じゃないか」

さらに彼女たちが悔しいのは、実はずっと前から「あの一家」のことを知ってはいたからである。

今回の事態が不思議なのは、ことの起こりがあまりに唐突すぎることだ。今でこそスクープしたテレビ局JTBCのお手柄となっているが、それまでだって「大統領の親友一家」の存在を、人々が知らなかったわけではない。

韓国に言論の自由がなかった過去はともかく、最近でも少なくとも二回は、この一家にまつわる話が韓国メディアでとりあげられていた。直近ではセウォル号事件の際の「空白の七時間」であり、さらに二〇〇七年に与党が大統領候補を決める際にも、この一家と朴槿恵候補との関わりは厳しく問題視されていたのである。

今、韓国のメディアは朴大統領が二〇代だった頃からの「四〇年分の疑惑」を一斉に放出している。中には検証なしの噂の類《たぐい》も混ざっているとはいえ、こんなにたくさんの情報を持っていながら、どうして韓国のメディアはこれまで問題を放置してきたのだろう？

2 朴疑惑、メディアは前から知っていた?

（二〇一六年一一月一四日）

†拡大するロウソク集会

ＪＴＢＣテレビのスクープから一九日目、一一月一二日の夕刻、ソウルの中心部にある光化門広場は大統領の退陣を求める市民で埋まった。人々が手に手に持つロウソクが描き出した広大な光の海はかつてない広さで、その数は警察発表でさえ二六万人（主催者発表では一〇〇万人）という特大規模だった。

デモ隊の一部は夜を徹して大統領官邸に迫り、「大統領の下野」「即刻退陣」を叫び続けたが、その時、官邸内で大統領は何をしていたのだろうか？

「寝ていたんじゃないですか。そういう人だ。彼女には国民の声など聞こえない。あの父親と一緒だ」

ある年齢以上の韓国人にとっては三七年前の同じ頃、当時の大統領であった彼女の父親に退陣を迫った学生や市民のデモが想起される（一九七九年一〇月の釜馬《プマ》民主抗争）。朴正煕《パクチョンヒ》大統領はデモ隊の要求を一切受け入れず強硬手段で弾圧、その結果、自ら不幸な結末を招いてしまった。一番信頼していた部下の銃弾に倒れたのだ。

今はもう、そんな時代ではないと多くの人が思っている。だからこそ、朴槿恵大統領には自ら辞職する道を選んでほしい。怒りだけではなく、「願い」がある。この数日間、怒りの塊だった韓国の人々の気持ちに、微妙な変化があるように思う。

「韓国は民主共和国です」

一二日の集会で何度も繰り返されたスローガンは、国民が主人公であり、問題は平和に、民主的に解決されるべきだという確認だと思う。その上で、「辞職か、弾劾か」。近々、大統領の三回目の国民向け談話が行われるという予測もある。

「今日のロウソク集会が、最後の集会になるように、大統領は決断していただきたい」

一二日、金大中《キムデジュン》元大統領の腹心として知られた野党の重鎮・朴智元《パクチウォン》は訴えた。

過熱気味なのは日本のメディアも同じで、ワイドショーなどの格好のネタになっているようだ。

「韓国の大統領は普通に任期を終えられませんね」と、東京の人に上から目線で言われると、「おたくの知事もね」と言い返したくなる（舛添《ますぞえ》東京都知事は六月に辞職）。ただ、一〇月二四日のスクープ以降、堰《せき》を切ったように流される大量の情報には、私自身も面食らう。

「こんな大事件を、今まで韓国の人はまったく知らなかったんですか?」

知らなかったわけではないのだ。しかし、こんなにひどいとは思わなかった。別の東京の人から、「いや、うちも知事の公金使い込みがありました」と言われても、やはりスケールが違う。

「恥ずかしいですよ。一国の政治が、こんな連中に牛耳られていたことが。我々が民主主義と思っていたものは、幻想だったのかもしれません」

韓国人の友人たちは私たち外国人を前にすると一様に「恥ずかしい」という。それに対し、他の外国人は首をかしげるが、我々日本人にはわかる気がする。国家と個人の一体感が強いことも、海外の目をやたら気にすることもよく似ているからだ。

それにしてもなぜ韓国メディアはこの問題を長らく放置してきたのだろうか。ここにきての「一斉解禁」のような状況は理解しがたい。

†事件はメディアの沈黙によって発生した

「セヌリ党の親朴派が、朴槿恵大統領の秘線勢力への依存を早い時期から知っていたように、政権の至近距離にいたメディアもその実態に気づいていた。にもかかわらず、それを無視し、沈黙していたことが、今回の事態を招いた」

一一月三日付のハンギョレ新聞に掲載された、元MBC記者のインタビューでは、今になって一斉報道を始めたメディアを批判している。「秘線」というのは文字通り大統領の秘密ラインのことで、外部の「相談役」といえば聞こえがいいが、実際は司令塔のようなイメージだろう。それがあることは一般国民も承知していたが、実態は明らかにされてこなかった。

「これまで不正に目をつぶってきたメディアが、今やハイエナのように十分に検証のない政権批判の記事を量産する」のは「政権がパワーを失い、利用価値がなくなったから」、「反対側の権力になびいていく」など、記者の発言は痛烈だ。

繰り返し報道されているように、朴槿恵大統領と崔順実一家との付き合いは四〇年も前、大統領が二〇歳の頃にさかのぼる。母親の陸英修《ユクヨンス》さんを亡くした後、娘が崔氏の父親と急接近したことを父親である朴正煕大統領が知って激昂《げきこう》したという話は、ある年齢以上の韓国人ならみんな知っている。

セウォル号事件の「空白の七時間」の記事をめぐって、産経新聞の加藤達也支局長（当時）が告発された時も、韓国の人々は朴大統領の「密会の相手」とされたチョン・ヨンフェ氏（逮捕された崔順実氏の元夫）、そして崔氏の父・崔太敏《チエテミン》氏について話題にしていた。

しかし、巷の噂はあっても、主要メディアがこの件に踏み込むことはなかった。「そこに聖域があった」と指摘するのは、これに先立つ一〇月二八日に出された、全国言論労働者組合文化放送（MBC）本部の声明文だ。

「本当に知らなかったのか？　いや、知らないふりをしていたのか？（中略）取材をしても放送できない、いわゆる聖域が存在し、その聖域が長い間放置されていた。その結果、本当に知らないことになってしまった」

タブーが人間を無知にするシステムが、ここで指摘されている。言うまでもなく、これは韓国に限ったことではない。

†壊滅状態の地上波と、ケーブルテレビ局の活躍

とはいえ、韓国の全てのメディアが沈黙していたわけではない。韓国のポータルサイトで「崔順実」と「秘線」で検索すれば、朴槿恵氏が大統領に就任した二〇一二年頃からの記事が一挙に並ぶ。今、報道されている内容の一部は、それらの「おさらい」に過ぎない。特に、ハンギョレ新聞など進歩系メディアなどは「秘線」について一貫して疑いを提起しており、今回も九月半ばから疑惑の財団について積極的な報道を展開していた。

ただ、インターネットで新聞を読むことが多い今は、記事が検索の上位に上がってこな

いと読まれない。多くの記事が埋もれる状況にあって、やはり「テレビ」の威力はすさまじいと、今回の事態でも実感した。事態を動かしたのは、JTBCテレビの二回の報道だった。一回目は崔順実氏の「愛人」とまで噂されたコ・テョン氏のインタビュー、そして二回目が決定打となったタブレットPC入手の報道である。JTBCはケーブル放送ではあるものの、ニュース報道に関しては一部で地上波以上の信頼を獲得していた。

JTBCが入手したタブレットPCは、ゴミの中から発見されたとか、マンションの管理人が処分した荷物の中にあったなどと報道されていた。素人が考えても、そんな大切なものを捨てていくはずがなく、巷では「北」の工作とか、情報機関の関与を疑った発言まで飛び出していた。

ただ、今となっては、関係者からのリークであろうというのが一般的な見方だ。メディアは取材先を守るのが義務であり、事件の全容が明かされるのは先のことだろう。そして、今は謎解きよりも、果たして政権が持ちこたえられるかが焦点である。

「いずれにしろ、JTBCは信頼を裏切らなかったのですよ。ここに持ちこめば真実が伝わる。それは間違いなかった。ただ、この後のことはわからない。辞職か弾劾か、あるいは強行突破か」

たまたま食事の席で一緒になった、元政府関係の仕事をしていた人は静かに言った。

3　辞めない朴大統領と「謹弔・民主主義」

（二〇一六年一一月二四日）

†70年代感覚の大統領

長い間、日韓をひんぱんに行き来しているが、最近はテレビでニュースなどを見ていると、どっちの国にいるのか混乱することがある。特に朴槿恵大統領の件に関しては、日本のワイドショーが連日の大報道。過去には軍事や統一問題を担当された専門家の先生方が、「ホストクラブ」や「美容整形」などを情熱的に語っておられ、胸が熱くなる。

それが重大情報なのか、どうでもいいことなのかは、受け取る人によって違うだろうが、大量報道の中で特に注目したのは三つの記事だ。

まずは毎日新聞ソウル支局の米村耕一さんによる「TV朝鮮の李鎮東《イジンドン》社会部長インタビュー」（『毎日新聞』一一月一六日夕刊）、次に韓国の時事ジャーナルによる「金鍾泌《キムジョンピル》元国務総理のインタビュー」（一一月一四日）、そしてヤフーニュースで配信されていた中川淳一郎さんの「韓国の民主主義が羨ましい?! 日本の一部ネット上で話題に」(一一月一五日)という記事である。

繰り返すようだが、韓国大統領をめぐる大スキャンダルを韓国メディアがまったく知らなかったわけではなく、中でも早くから革新系新聞などとともに、この件に張り付いていたのは、「TV朝鮮」という保守系のケーブルテレビ局だった。

TV朝鮮が今回の事件に関する報道を本格化させたのは今年の七、八月、他社の追いかけ報道が本格化したのが九月以降である。毎日新聞のインタビューによれば、そもそものきっかけは二〇一四年末、日本のテレビでは「元ホストクラブ勤務」(これは完全な誤報だった)として注目をあびるコ・ヨンテ氏が、李部長に接触してきたことだった。それから二年、地道に取材を続け、確証のとれたものから報道していったという。

二〇一四年末といえば、韓国事情に詳しい人なら、ピンと来るかもしれない。産経新聞の加藤達也支局長(当時)が朴大統領に対する名誉毀損で訴えられ、その裁判が始まった時期である。二〇一四年一一月二七日、ソウル中央地裁で始まった公判は、加藤氏の車に生卵がぶつけられるなど、初日から大荒れとなったが、実はこの日にもう一つ事件が起きていた。

韓国の日刊紙である世界日報が大統領の「秘線」と「国政介入」問題をスクープしたの

だが、そちらもその日のうちに名誉毀損で訴えられてしまったのだ。訴えたのは、「ドアノブ三人衆」といわれる大統領の最側近。彼らは今や晴れて検察に出頭を命じられる立場となった。

この頃の韓国の言論状況は異常だった。のちに無罪となった加藤氏だったが、二度にわたる出国停止措置は「見せしめ」とも言われた。そんな状況下にあって、つかんだ情報が大きければ大きいほどメディアが慎重になるのも、無理のないことだったかもしれない。

李部長のインタビュー記事での最後の言葉は印象的だった。

「大統領も崔容疑者も（軍事独裁時代の）一九七〇年代の空気を引きずっている。国家を少しくらい自分たちの自由にしてもかまわないという意識があったのではないか」

†「五〇〇〇万人がデモしても、彼女は絶対に下野などしない」

朴正熙元大統領暗殺から三七年、韓国はその後紆余曲折《うよきょくせつ》を経ながらも、「民主主義の国」として経済的にも大きく発展してきた。韓流スターとサムソンギャラクシーの華やかな街から、戒厳令《かいげんれい》下の暗い過去を思い出すのは至難の業である。しかし、本当のところはどうなのだろう？

今こそ、あの人の話を聞いてみたい——そう思ったのは、もちろん私だけではなかった。

JTBCの「タブレット発覚」スクープから一週間後の一一月三日、韓国の週刊誌『時事ジャーナル』では、会長・社長・編集局長という三役が黒塗りの車に乗り込み、金鍾泌元総理の元へ向かっていた。かつては朴正熙大統領の腹心であり、後には韓国の民主主義の道筋をつける大仕事をした政界の元老。

現大統領を幼少の頃から知る彼は、この政局をどう見ているのだろう。雑誌社の経営陣までが乗り出したインタビューで彼が語ったことは、韓国の国民に今更ながら衝撃を与えた。

「五〇〇〇万人の韓国国民がデモをしても、絶対に自ら辞めることはないだろう」(『時事ジャーナル』一一月一四日発売号)

五〇〇〇万人とは、韓国の全人口である。

御年九〇歳、大統領とは姻戚《いんせき》関係もある元総理は、幼少期から見てきた朴槿恵氏の性格にも言及した。

「下野? 死んでもしないよ。あの頑固さに勝てる人間などいない」「彼女は両親の性格の悪いところばかり受け継いだ」

今回の事態には、こうした大統領個人のパーソナリティが大きく関係していると言われてきたが、それとともに韓国大統領制の制度的欠陥も指摘されてきた。「欠陥」とは、大統領に権限が集中しすぎることに加え、たとえ支持率五パーセントになっても簡単に解任できないことだ。

さらに韓国の場合は大統領任期が五年一期のみという問題もある。大統領に反対する側も「五年だけ我慢すればいい」と、下手に批判して火傷をするより待った方が得策と思ってしまうのだ。

†「謹弔・民主主義」と「韓国が羨ましい」？

そんな韓国の状況をめぐって、日本人はどんな感想を持っているのだろう。ワイドショーなどはその性格上、興味本位な報道が多く、「なんでそこまではしゃぐかな？」と心から呆れる。もちろん一連の疑惑は褒められたことなど一つもないが、落ち込んでいる韓国の人々を知っているだけに、心が痛む。

「今日は私たちがおごりますね。ごめんなさいというか、国がお恥ずかしくて……」

ある在韓日本人の友人は、韓国人のママ友にそんなことを言われたという。

こういった全国民的な絶望感、その度に出る「恥ずかしい」という言葉には、韓国で長く暮らす中で、何度も出くわしてきた。

一九九〇年代にデパートの建物が崩落した時、IMF（国際通貨基金）の緊急支援を受けた時、二〇〇〇年代になってからでも盧《ノ》武鉉《ムヒョン》元大統領の親族の不正が発覚した時、そしてセウォル号事件やMERS（中東呼吸器症候群）の感染拡大……。その都度、みんなで立ち止まって考え、反省をし、抗議のデモをしながら、同時に日々の仕事や勉強も頑張ってきた。

そんな時、不思議なタイトルのネット記事を見た。

「韓国の民主主義が羨ましい?!　日本の一部ネット上で話題に」

こんな時に、韓国が羨ましい？　記事を読んでみると、なるほど「羨ましい」のは何十万人もの市民が参加するデモのことのようだ。デモなどによる市民の意思表示を、「民主主義の成熟」という風に見る人たちもいるという。

ただ、当の韓国人は今の時点は「民主主義の成熟」などとは、いささかも考えてはいないと思う。そもそも、デモ隊のプラカードには「謹弔・民主主義」と書かれているのだ。

「民主主義は死んだ」と。

今、どうやってそれを取り戻すのか。その手続きは、おそらく日本とは違う。今後の展開で、その違いはますます明確になると思う。

4　韓国の超大型デモを日本人は誤解している?

——「韓国の政変」から学ぶべきこと

（二〇一六年一二月一二日）

†大統領を弾劾した韓国国会

「またもや韓国に政治の季節がやってきたのだろうか」と書いたのが一〇月末。それからちょうど一か月、事態は予想をはるかに超えるものとなった。朴槿恵大統領の支持率はついに四パーセントまで下がり、週末ごとの集会はどんどん参加者を増やし、一一月二六日には韓国全土に二〇〇万人もの人々が「大統領の即時退陣」を訴えるに至った。

与野党が党利党略に揺れる中、半ば居直った風情の大統領は、あろうことか自分の身の振り方を国会で決めろと命じた。まったく嚙み合わない巨大な歯車。片方はすでに摩耗《まもう》し空回りをしているのに、自ら止まろうとはしない。

一二月八日、国会は弾劾を決めた。議員三〇〇人のうち弾劾賛成が二三四人、与党からも大量の造反が出た。大統領の職務は即刻停止、黄教安《ファンギョアン》国務総理が代行の任についたが、その総理に対してもデモで「辞任要求」の声が上がっている。混乱はまだまだ続きそうだ。

こんな政治状況でも、人々は日常を生きる。しかも韓国人は相変わらず勤勉だ。関連ニュースに「×××！」（韓国語で最大級の罵倒。メディアでは伏せ字となる）と怒りながらも、会社員は早朝から満員電車に乗り込み、子供たちも夜遅くまで塾に通う。さらに、今はキムジャンシーズン（キムチ漬けの時期）、あちらでも、こちらでも、女性たちが大量のキムチを漬け込んでおり、在韓外国人もご相伴にあずかれる。

「今年は白菜が高くてね。それも腹が立つ（笑）」

「今日はキムチを漬けるから豚肉を茹でて待っててな！」

隣家のおばあちゃんは毎年、こんなふうに言う。キムジャンの夜には、ゆで豚とコッチョリ（白菜の切れ端の即席キムチ。これが美味しい！）で一杯やるのが韓国風。みんなでわいわいやるのは、日本の餅つきにもちょっと似ている。

とても勤勉な人々、それを可能にする強靭な肉体、その基本にある健全な食生活、これが韓国の底力だ。

†日本人には「自分たち好みの韓国像」がある？

日本のテレビなどでは、上から目線で韓国を揶揄《やゆ》するシーンが多くて、残念な気持ちになる。あるいは、保守系ジャーナリストの中には「韓国のデモの背後には北朝鮮が……」と陰謀論的に語る人もいる。その反対に、これぞ「成熟した民主主義」と超大型デモに興奮する人々もいる。以前から言われていることだが、どうも日本人にはそれぞれの立場によって、「自分好みの韓国」があるようだ。

少し気になったのは、韓国のデモを称賛しつつ「だから日本はダメなんだ」的なことを言う意見だ。そこには韓国のデモに対する誤解があるかもしれない。今回のデモは事前にスケジュールが公表されるので、日本から訪れる人もいる。東京新聞にはそんな若者の一人の思いが、「デモで政治が変わると証明された」という言葉で表現されていた（二〇一六年一一月三〇日夕刊）。

彼が同世代の韓国人の生き生きした姿に感動する気持ちはとてもよくわかる。私自身も今回のデモの一つの中心とされる中高生の演説を聞いて、その上手さにびっくりした。「一九一九年の三・一独立運動、一九六〇年の四・一九学生革命、そして一九八七年の六月抗争。この国では常に我々学生が、民族の独立と民主化の先頭に立ってきました。そうして戦いとった貴重な民主主義が、今、失われようとしています。我々は今ここで、この国と民族のために、もう一度立ち上がらなければならないのです」（一一月一三日にタプコ

ル公園で行われた中高生集会の演説から)

おそらく、日本の中高生には、このような演説はできないだろう。「歴史」が違う。しかし、最も違うのは、その歴史から導き出される、民族や国家への考え方だと思う。中高生たちの演説を聞いていると、彼らが素晴らしい「愛国者」であることがわかる。彼らにとってデモに参加することは、歴史的な愛国者の隊列に入ることでもある。

†「愛国的」な韓国のデモ

韓国のデモが政治を動かすような大衆性を持つときは、そこに必ず「愛国心の発露」がある。日本では「愛国心」や「民族主義」というと、右派の排外イデオロギーと結び付けられることが多いが、韓国の場合はまったく違う。それは「祖国を正しい方向に導くためのもの」であり、革新陣営にあってもそこは同じだ。一九八〇年五月の光州民主化運動でも、国軍の銃弾に倒れた市民の棺は太極旗で覆われた。それは彼らが「愛国者」であることの象徴だった。

今回のデモの動機となったのは「政権の腐敗」であり、目的はそれを一掃することだ。そのために元凶たる大統領は即時退陣しなければならない。その一点において二〇〇万人が結集したのであり、他の政策論議はすべて脇に押しやられている。

東京新聞の記事に登場する日本の若者は、自らが参加した安保法制反対デモと比較をしていたが、それで悲観することはないと思う。安保法制のような政策やイデオロギーに関わる問題だったら、韓国でも意見が割れる。

たとえば、一時期盛んだった「反米デモ」もピークとなった二〇〇八年の六月で約八万人(主催者発表五〇万人)、その後は市民運動や労働組合などの動員以外ではほとんど集まらない。さらに日本の嫌韓派が「誇大広告」をうつ「反日デモ」などは、右派団体の組織動員がほとんどという現状だ。そもそもある時期から、セウォル号の遺族たちの抗議行動にも、国民の多くは関心を失っており、そんな「市民社会の分裂」がまた今回の事態の発覚を遅らせた原因の一つといえる。

でも、今、韓国の人々はまさに「小異《しょうい》を捨てて大同《だいどう》につく」ことを選んだのだ。

5 韓国人の強さと寛容さを知っているか

（二〇一六年一二月二六日）

†厳寒の広場に集まる韓国人の根性

一二月二四日、クリスマスイブの夜も、光化門広場では、九回目の「ロウソク集会」が開かれた。参加者約五五万人（主催者発表）という数字は、国会での弾劾採決前夜に比べると減ったものの、それでも極寒の中でそんなにたくさんの人が屋外集会に参加するのは、驚くべきことだ。

この時期のソウルがどれだけ寒いか、ある在韓日本人の友人はツイッターでこんな風に言っていた。

「①大きめのボウルに氷水を用意します　②水に顔を浸け、息が続く限り耐えます　③顔をあげます。それが今のソウルの外気です」

日本でも東北や北海道、あるいは山間部はそうなのだろうが、関東以南の平野部出身者にとっては、かなり刺激的な寒さである。大規模なロウソク集会の先例として挙げられる李明博《イミョンバク》政権下の米国産牛肉輸入反対デモは、二〇〇八年六月。あの時はちょっとした「夕涼み感覚」でも参加できたけれど、今回は違う。バスを待っていても足元から凍りつく、そんな路上に長時間居続けるのだ。

「寒いですが、大統領が退陣するのを見届けるまでは頑張ります」

こういう韓国人の「真面目さ」には、一緒に仕事をしていても驚かされることが多々ある。普段は「ケンチャナョ～」（平気平気）とのんびりしていても、いざ本気になるとすごい。日本には韓国に対して敵意むき出しの人もいるが、だったらなおさら、韓国人がどれだけ強い人たちなのか、知っておいた方がいいと思う。

†三世代、それぞれの怒り

韓国人は強い。さらに、今回のことで感じたのは、彼らの「寛容さ」だ。人口五〇〇〇万人の国で、集会参加者が二〇〇万人ともなると、どういう状況になるか。

「うちの会社の中で、集会に参加していない社員はいないんじゃないかな」

日韓合弁企業の理事をつとめる日本人の友人は言っていたけれど、まさに周囲の人々がほぼ全員デモに行くような雰囲気になる。これについて、ある在日韓国人は「そこまでの一体感は気持ち悪い」という。

「全体主義というか……。逆に怖くありませんか？」

リベラルな彼が「そこには別の同調圧力があるのではないか」と心配する気持ちはわかる。韓国人も日本人と同じく「右にならえ」的な集団意識の強い人たちだ（今回も両国メディアの横並びぶりはすごい）。でも、実際の集会の様子を知れば、その危惧は吹っ飛ぶと思う。

今回のロウソク集会では、三世代の参加が話題になったが、祖父母、両親（子供）、孫、それぞれの思いは異なる。たとえば、四〇代、五〇代の親世代は若かりし日、デモの力で社会が変わるのを自ら体験した。

「民主化闘争で全て解決したと思っていたのに、こんな風に繰り返すなんて……。三〇年ぶりに行った市庁前広場で、ものすごい数の人々を見ながら、情けなくて涙が出ました。また朴正熙の亡霊と戦うことになるとは」

これと真逆の思いの高齢者もいる。

「朴槿恵は父親の顔に泥を塗った。親不孝者はさっさと退陣するべきだ」

さらに痛烈な高校生の演説も聞いた。

「自分たちに勉強しろ、勉強しろとばかり言い続けた大人。あなたたちが作った国がこのざまだ」

こんなにバラバラな人たちが、一つになって頑張れる。日韓のデモを較べて自分の国を悲観する人もいるが、日本人が韓国の運動から学ぶべきものは、この「包容力」かもしれない。

そういえば、今回の集会に日本の新左翼系セクトが参加したという話があった。ネット上に投稿された写真にはJR総連や動労の旗があり（たまたま同じ日に日韓の労組交流会があったらしい）、おせっかいな日本人がツイッターに「あの人たちが過激派ですよ」と書き込むと、韓国人は「そんなことはどうでもいい。参加してくれることに感謝したい」と反論していた。

6　朴槿恵氏の罷免――国民勝利の喜び、そして嘆き

（二〇一七年三月一五日）

†広場で対峙する二つのデモ

韓国の憲法裁判所は三月一〇日、朴槿恵・前大統領に対する弾劾を決定、大統領は即時罷免《ひめん》された。宣告の様子はテレビなどで実況中継され、全国民がまさに固唾《かたず》をのんで見守った（胸がドキドキしたという人が多かった）。

決定文は簡潔で、しかも全員一致。その瞬間、バスや地下鉄の車内、オフィスなどでも歓声があがり、ソウルの光化門広場の「ロウソク集会」は歓喜に包まれた。SNSも勝利のメッセージで埋まったのだが、海外からの呼応も面白かった。「民主主義万歳！」と韓国人が書けば、ある在日韓国人は「もう一つの祖国である北（朝鮮）にも弾劾制度があればいい」とつぶやき、「OK、次はトランプだ」と書いた米国人もいた。

その一方で憲法裁判所前に結集していた「弾劾反対派」は大荒れとなり、ついに死傷者

まで出る事態となった。興奮したデモ隊は警察車両を壊したり、警官やメディア関係者に暴行を加えたり、常軌《じょうき》を逸《いっ》した行動をとった。その過程で六〇代と七〇代の男性二人が死亡、七〇名以上の怪我人が出た。

そのしばらく前から、「広場」は朴槿恵退陣のロウソク集会をする人々だけのものではなくなっていた。弾劾に反対する保守勢力が徐々に広場の南側を浸食していき、両者の物理的衝突が憂慮される事態となっていた。

「若者たちは平和的なデモを望んでいたのではなかったんですか?」

事情を知らない日本人は首をかしげるが、過激な行動が心配されるのは、むしろ年配層が多い保守勢力の方だった。

「あの世代は暴力的な空気の中にいたから」

ある五〇代の韓国人社長は、取引先の日本人の疑問に対して、こんな風に答えたという。かつて独裁政権時代に若者だった社長の説明は、なるほど彼らが上の世代を見る一つの視点だろう。

「朴槿恵大統領を守る」という弾劾反対グループの中心は在郷軍人会や保守系キリスト教団体など「従来からの右派」が中心である。彼らは韓国や米国の国旗を振りながら、古風で過激な反共スローガンを叫んでいる。あらためて朝鮮半島では「冷戦」が終わっていないのを思い知らされる。

しかし注意すべきは、広場の半分が弾劾反対派に占拠されていても、国民の「朴大統領退陣」への思いは、昨年からほとんど変化がないことだ。韓国のリサーチ会社ギャラップが三月三日に発表した世論調査結果によれば、朴大統領の弾劾に賛成する人は七七パーセント、反対は一八パーセント。反対は少数派だ。

民主主義にとってデモや集会は大切な手段ではあるが、それが民意を唯一代表することにはならない。日本人の中には韓国のデモや集会の文化を過度に評価する向きもいるが、そこだけに依拠するのは危険だ。広場を埋める二つのデモ隊が韓国の民意を本当に代表するものなのか。そこはさらに俯瞰して考えなければいけない。たとえデモ隊の人数は半々でも、民意は決して半々ではないはずだ。

幸いなことに、「三・一節」（一九一九年に起きた、日本からの大規模な独立運動を記念する国民の祝日）の集会では、憂慮された大きな衝突は起きなかった。しかし、不測の事態に備えて、両者の間に隙間なく配置された警察バスの列は、まるで「壁」のようだった。

「三・一独立運動に立ち上がった私たちの先祖は、この分裂の様子をどんな気持ちで眺めているでしょうか？」

ニュースの解説者はそう嘆いてみたが、この国の先達たちはその「嘆き」にも戸惑うかもしれない。分裂は何も今ここで始まったわけではないからだ。すでに半世紀以上も前から、南北を区切る三八度線では銃を持った兵士たちが対峙している。

†荒ぶる弾劾反対派

そして三月一〇日、憂慮された事態は現実となった。弾劾が決定されるや保守派のメンバーは機動隊のバスを乗り越えて裁判所に突撃しようとし、制止する警察官や取材中の記者らに暴行を加えた。

日本の若いメディア関係者などには、彼らの暴力性に驚いている人もいたが、長く韓国で暮らした者にとってはある種「見慣れた風景」でもある。弾劾反対派の中心である韓国の保守団体は、これまでも様々なシーンで「過激な活躍」をしてきたからだ。

そこでまず思い出すのは二〇〇〇年六月、ベトナム戦争時における韓国軍の虐殺行為を告発したハンギョレ新聞社への襲撃事件だ。この時は新聞社内に乱入した二〇〇〇人余りの退役軍人が、手に持った角材でパソコンや輪転機を破壊し、記者などにも暴行を加えた。

また日本との関係でいえば、竹島（韓国名「独島《ドクト》」）問題などで、異様なパフォーマンスを繰り広げるグループもある（日本人の中には誤解もあるようだが、韓国で「竹島問題」と「慰安婦問題」に取り組む人々はまったく系列の違う人々だ）。ちなみに産経新聞の元ソウル支局長を「朴大統領に対する名誉毀損」で訴え、車に生卵をぶつけるなどした団体の一つは「独島を愛する会」という右派系の民族団体だった。

「あの世代は暴力的な空気の中にいたから」――と韓国人が言うのは、それとは別の意味もある。家でちゃぶ台を返していた父親、暴力的だった学校教師、軍隊での不条理な仕打ちなど、それぞれの個人的体験のフラッシュバックがある。もちろん、弾劾反対派の中でも過激な人はごく一部であり、多くはいろんなつながりで動員されただけの人々には違いない。

ただ重要なのは、彼らは行動もスローガンもレトロで、まるで七〇年代の亡霊さながらなのだが、その怒りの根源が「現在」にあるという点だ。彼らの怒りの対象は北朝鮮や共産主義だけではない。彼らは、自らのポジションへの不満も大きい。軍人だった頃の栄光、一家の長として君臨していた時代に比べ、今は社会からも家族からも疎外されている。荒れ狂う彼らを見ていると、日本の「キレる中高年」と、どこか共通点があるようで、暗澹《あんたん》たる気持ちになる。

†朴槿恵前大統領が知るべきこと

さらに人々を落ち込ませたのは弾劾の翌々日、朴槿恵氏が大統領官邸から自宅に帰還する風景だった。こちらも実況中継が行われたが、そこで人々が見たのは、想像もしていなかった「前大統領の笑顔」だったのである。

「なんで、ここで笑えるのだろう？」

ふだん無口でおとなしい息子までが怒ったと、ある四〇代後半の母親は嘆いたが、それは実に異様な光景だった。彼女は自宅付近で待ち構えた支援者たちに手を振り、さらに満面の笑みを浮かべた。血色もよく、髪の毛もきれいに整えられている。革命で処刑を言い渡され一夜にして白髪となったマリー・アントワネットとまでは言わないが、人々が想像していたような憔悴した様子はまったく見られなかったのだ（やっぱり夜はぐっすり寝ていたのだろうか？）。

自宅に到着した朴槿恵の笑顔（2017年3月12日、提供：YonhapNews／ニューズコム／共同通信イメージズ）

実を言えば、いざ罷免が決定すると、「悪いことをしたのは事実だけど、弾劾まではしなくても……。なんだか可哀想」と、韓国人特有の情の深さを見せる人々もいたのだ。でも、この展開で同情はふっとんだだろう。さらに追い打ちをかけたのは、「時間がかかるだろうが真実は必ず明らかになる」という彼女から支援者に向けたメッセージ。まるで弾劾結果を承服していないかのようだ。

呆れたのは一般国民だけではない。翌朝の新聞は革新系から保守系までが一斉に、この「凱旋」を批判した。たとえば朝鮮日報の社説は、そこにニクソン大統領の言葉を引用して次のように書いた。

「一九七四年にウォーターゲート事件で弾劾され、任期途中で職を追われた米国の故ニクソン元大統領は辞任する際『今も私の全身は本能で（辞任を）拒否している』『しかし大統領として米国の利益を守らねばならない』とコメントした。米国の歴史に刻まれたこの言葉は、大韓民国の歴史にとっても必要な言葉だ」

大統領は愛国者でなければならない。私もそう思う。人間だから間違いも犯すだろうが、でも国家と国民に忠実であるべきだ。ところが朴前大統領は国民に向けて言葉を発することなく、自らの支援者に向けてだけメッセージを伝えた。この人は何を考えて、大統領を引き受けたのだろう？

朴前大統領が言うように、真実は「裁判で」明らかにされるのだろう。今は暴力が優先された七〇年代とは違う。

彼女は韓国が民主主義国家であることに、感謝しなければならない。国民の圧倒的多数から、「その資格なし」と言われた「大統領」。裁判所も全員一致で罷免を宣告。それでも、血色良く、髪もきれいにして、暖房の入った自宅に戻れるのだ。

果たして、彼女は知っているのだろうか。今、彼女自身を守ってくれているのは、七〇年代様式の親衛隊などではなく、韓国の民主主義そのものだということを。法治国家としての韓国が自身を守ってくれていることを自覚し、法の裁きと真摯に向き合うこと。それが彼女が「前大統領」として国家のためにできる、最後の仕事である。

7　文在寅大統領の不思議

（二〇一七年五月二二日）

†とにかく政権交代を

朴槿恵大統領の弾劾決定から二か月、五月一〇日の韓国大統領選挙では文在寅候補が圧勝した。結果をうけた直後の新聞のインタビューに私は、「予想通りの圧勝は李明博大統領の時を思い出す」と答えた。多くの人は盧武鉉大統領を語る中、私が正反対のポジションにある保守系大統領の名前を出したことは、少し意外に思われたようだ。でも、理念上はともかく、それが個人としての体感だった。

一九九〇年に韓国で暮らしはじめて以来、幾つもの大統領選挙を経験したが、その多くは歴史に残る名勝負で、ハラハラしながら夜通し開票結果を見守った。ところが、九年前と今回に限っては、事前の予想が無難に的中した形となった。あの時は金大中—盧武鉉と二代続きの「進歩派政権」から、今回は李明博—朴槿恵の「保守派政権」からの、人々は取りも直さず「政権交代」を望んだ。

「文在寅《ムンジェイン》氏はあまり好きではなかった。でも、保守党（自由韓国党）が急に強くなったので、これはまずいと急遽投票先を変えたんです」

「私の立場は安哲秀《アンチヨルス》に近いと思うのだけど、彼では勝てないからね」

「大邱《テグ》の夫の実家から、保守党に入れろと連日の電話。いつもだったら、それでもいいかなと思うのだけど、今回ばかりは政権交代させないとダメでしょう」

大邱と慶尚北道《キョンサンブツド》は保守の地盤で、今回も唯一、自由韓国党の洪準杓《ホンジユンピヨ》氏の得票数がもっとも高かった。その大邱でも、普段は「保守党でいいや」と思っている人が、かなり野党候補に投票した。それはイデオロギーというよりは、現在の政権を継続させることへの「NO」だった。

したがって、文在寅候補は圧勝したものの、彼個人や彼の党が圧倒的支持を集めたわけではなかった。少なくとも選挙直後はそんなムードだった。ところが、ある日を境に、韓国国民の新大統領への思いは劇的に変化した。大統領支持率も五月二二日の世論調査で八一・六パーセント、大統領選挙での得票率は四一パーセントだったから、人気は跳ね上がったと言ってもいいだろう。

†イメージを一転させた文在寅大統領の「肉声」

五月一八日のことだった。この日、就任して九日目の新大統領は韓国南部、全羅南道《チョルラナムド》の光州市で行われた五・一八光州民主化運動(「光州事件」)三七周年の記念式典に参加した。そこで大統領就任後としては初めて、国民の前で長い演説をした。

「光州事件」とは一九八〇年五月に、光州市で起きた学生と市民のデモを軍部が武力をもって弾圧し、おびただしい数の死傷者を出した、韓国の現代史上で最も悲劇的とも言われる事件である。式典では、そこで父親を失った遺族代表の女性が泣きながら思いを語り、いたたまれなくなった大統領は席を立ち、その女性のもとに駆け寄った。その映像が演説とともにニュースやインターネットを通じて拡散し、国民の間で大反響を呼んだ。

特に印象的だったのは、彼を支持しなかった人々が、次々に翻意の表明を始めたことだ。

「自分が文在寅の言葉に感動するとは思わなかった」

「今まで彼を誤解していたのかもしれない」

告白すると、私自身もその一人だった。彼の取り巻きが苦手で、これまで彼自身の声をきちんと聞こうとしてこなかった。画一的なスローガン、理想主義的な言動、過剰な団結力……。ところが記念式典での彼の肉声は、これまでのイメージを一転させるものだった。

「光州の真実は私にとって無視できない怒りであり、痛みをともに分かち合うことができなかったという、あまりにも大きな負い目でした。その負い目が民主化運動に乗り出す勇気をくれました。それが私を今日、この席に立つまで成長させてくれた力になりました」

（演説文より抜粋）

原稿をほとんど見ずに、朴訥《ぼくとつ》とした慶尚道のアクセントで語る新大統領。これまで彼を好きではなかったという、ある六〇代の女性はこんなふうに言っていた。

「あの演説は、一国家の元首の式辞というより、彼自身の肉声、この時代を生きてきたひとりの人間の言葉だったと思う。熱く真摯に、彼が心から発した言葉。だから私にも、他の多くの人々の心にも深く沁みたのでしょう」

大統領になることで、「大統領候補」という長い間の責務から解放された。その瞬間、ついに彼の肉声は文在寅という一人の韓国人に同一化されたのかもしれない。

光州事件の式典で演説する文在寅
（2017年5月18日、提供：共同通信社）

†文在寅大統領の幸運

実を言うと、国民の多くは文在寅という人をあまり知らなかった。故・盧武鉉元大統領の最側近、盧元大統領の遺志を引き継ぐ「大統領候補」だった。彼の選挙は盧武鉉大統領の弔い合戦のようであり、文在寅という個人は後ろに追いやられていた。大統領になったことで改めて、国民は彼自身を知ることになった。

朝鮮戦争の避難民として苦労した両親、避難先での貧しい暮らし、寡黙だった少年時代、全額奨学金で大学に入り、そこで朴正煕独裁政権と戦う学生運動の隊列に加わる。逮捕、兵役、弁護士となって故郷に戻り、労働者や弱者の人権のために戦った。それは、彼の世代の秀才たちに課せられた一つの使命でもあり、しかし実際に歩むには勇気のいるコースだった。

連日のように放映される、新大統領の生い立ちをあつかった番組を見ながら、国民たちは過去の韓国を振り返る。彼の演説を聞きながら、大韓民国の現代史を思い返す。あまりにも多くの血が流された。その象徴が「五・一八光州民主化運動」である。

五・一八が大統領にとって最初の公式行事になるということは、過去にはなかった。弾劾というイレギュラーな政権交代が、偶然にこの時期に新大統領を選出した。この五月、そして六月、民主化闘争を記念するこの季節が政権発足の時期に重なったことは、文在寅大統領にとって、ある意味で幸運だったといえる。彼が大統領になることの正統性は、韓国の民主主義の歴史とともに語られ、人々の記憶を喚起しながら共同体のアイデンティティーを確認する。

幸運なリーダーを得た韓国民は幸運だ。その幸運を東アジア全域にもたらしてほしいと思う。

第３章

歓喜から混乱へ
——文政権のジレンマ 2018〜20

2019年7月18日、日本政府による輸入規制の強化に抗議するため、ソウルの日本大使館近くで「NO安倍」「安倍が元凶だ!」などプラカードを掲げてデモ行進する韓国の学生たち
（提供：NNA／共同通信イメージズ）

2018年	
1月 9日	韓国政府、「日韓慰安婦合意に関する新方針」
2月 5日	サムスン副会長に執行猶予付判決
9日	平昌冬季オリンピック開幕
3月 6日	安熙正忠清南道知事 #Me Too 辞任
23日	李明博元大統領逮捕
4月27日	板門店で南北首脳会談
6月12日	シンガポールで初の米朝首脳会談
10月30日	韓国大法院による「徴用工判決」
11月21日	韓国政府「和解・癒やし財団」の解散を発表
12月	レーダー照射問題
2019年	
1月 9日	日本政府が「請求権協定」3条に基づく協議を要請
2月28日	ハノイで2回目の米朝首脳会談、決裂
5月20日	日本政府が「仲裁委員選定の申し入れ」を行う
6月19日	徴用工問題、韓国政府が「財団方式」を提案、日本政府は「第三国による仲裁委員選定の申し入れ」
7月 1日	日本政府、半導体材料3品目の輸出管理強化を発表。韓国で日本製品不買、日本旅行ボイコット運動
21日	映画『パラサイト 半地下の家族』大ヒット、観客数が1000万人を超える
8月 2日	日本政府、韓国の「ホワイト国」除外を閣議決定
23日	韓国政府、GSOMIAの破棄を通告
9月 9日	曺国法務部長官就任（→反対・賛成派の大規模集会）
10月14日	曺国法務部長官辞任
11月22日	韓国、GSOMIA破棄を事実上撤回
12月31日	曺国前法務部長官が収賄罪などで在宅起訴
2020年	
1月	「徴用工問題」で日韓の弁護士らが「共同協議体」提案。文在寅大統領が「協議体」参加意志を表明

1　前政権を清算する新政権――「日韓慰安婦合意」の誠実な履行のために
（二〇一八年一月一六日）

†合意の見直し？

予想していたとはいえ、残念なことになった。文在寅政権発足から半年たった二〇一八年の年頭、九日に康京和《カンギョンファ》外相から、翌一〇日は文在寅大統領から、「慰安婦合意」についての言及があった。康外相は「二〇一五年の日韓慰安婦合意に関する新方針」として五項目を読み上げた。

一、韓国政府は慰安婦被害者の方々の名誉と尊厳の回復と心の傷の癒やしに向けてあらゆる努力を尽くす

二、この過程で、被害者や関係団体、国民の意見を幅広く反映しながら、被害者中心の措置を模索する。日本政府が拠出した「和解・癒やし財団」への基金一〇億円

については韓国政府の予算で充当し、この基金の今後の処理方法は日本政府と協議する。財団の今後の運営に関しては、当該省庁で被害者や関連団体、国民の意見を幅広く反映しながら、後続措置を用意する

三、被害当事者たちの意思をきちんと反映していない二〇一五年の合意では、慰安婦問題を本当に解決することはできない

四、二〇一五年の合意が両国間の公式合意だったという事実は否定できない。韓国政府は合意に関して日本政府に再交渉は求めない。ただ、日本側が自ら、国際的な普遍基準によって真実をありのまま認め、被害者の名誉と尊厳の回復と心の傷の癒やしに向けた努力を続けてくれることを期待する。被害者の女性が一様に願うのは、自発的で心がこもった謝罪である

五、韓国政府は、真実と原則に立脚して歴史問題を扱っていく。歴史問題を賢明に解決するための努力を傾けると同時に、両国間の未来志向的な協力のために努力していく

さすが、よく練られてはいる。なかでも注目されたのは、四の「日本政府に再交渉は求めない」が「期待する」という部分だろう。翌日の文在寅大統領の発言もこれに沿った形

だった。

「韓日両国間の公式合意であることは否定できず、日本との関係改善も極めて重要だが、間違った結び目はほどかなければならない」と「新年の辞」でふれた上で、「日本が心から謝罪し、被害者（元慰安婦）らが許すことができたら完全な解決だと思う」と、自分の「意見」を述べた。つまり韓国政府の立場としては、「慰安婦問題」が先の「合意」で完全に解決したとは「思っていない」ということだ。

冒頭で「予想していた」と書いたのは、すでに二年前の合意直後の時点で、当時はまだ野党の代表だった文在寅氏が、それを示唆する発言をしていたからだ。わたしはその時に『WEBRONZA』に次のように書いた。


合意翌日の三一日の昼頃には、ソウル市中心部にある日本大使館が入っているビルで、日韓合意に反対する大学生三〇人が「合意は無効だ」と叫び、警察に連行された。さらに「慰安婦像死守」を掲げた学生や支援者が路上で座り込みを始める。その中で、特に私の気を重くしたのは、韓国の最大野党、民主党代表の発言だった。

「今回の合意は、国民の権利を放棄する条約や協定に該当するため、国会の同意を得なければならない」「我々はこの合意に反対する。国会の同意がなかったため、無効であることを宣言する」

「最終的解決」の文言が宙に浮かんで飛んで行く。いつはじけるかわからない、まるでシャボン玉だ。「それみたことか」という声が背後から聞こえてくるようだった。

（「慰安婦問題合意――韓国人はどう思ったか？（中）「合意」は両側から崩れてしまうのか？」『WEBRONZA』二〇一六年一月一三日）

それから一年後に朴槿恵政権が任期終了を待たずして終焉し、後任を決める大統領選挙で野党の立候補者はもれなく「慰安婦合意の見直し」を公約としていた。これは日韓関係にとって致命的になるかもしれない――と、暗澹たる気持ちになったのだが、それが現実になってしまった。

再交渉はしないが……

とはいえ「再交渉はしない」というのでホッとした。韓国内では当然ながら「それは公約に反するのでは」という意見も出ている。しかし新政府としては、ギリギリのところで外交関係を優先したと理解すべきだろう。

一般の人々はこの件にあまり関心がないようだった。マイクを向けられれば意見は述べるが、自分から話題にする人はほとんどいないし、何よりも文在寅大統領への国民の期待は「雇用創出」である。「若者の就職難をなんとかしてほしい」――よって大統領就任後初の年頭の挨拶も、中心は雇用や福祉の問題だった。そちらがより切実なのである。

ところが日本の空気は真逆だった。故郷の新年会の席でも、この問題を興奮気味に語る人が多くて驚いた。

「韓国はどうなっているんだ！　合意は国と国との約束だ。それを破るとはけしからん」

いきなり怒られたので、逆に聞き返してみた。

「でも再交渉はしないと言っていますよ。何を韓国が破ったんですか？　合意の内容はなんですか？」

「蒸し返さないということだ」

「それが合意の内容ですか？」

「そうだ、同じことを何回も言うのは、合意違反だ」

この人（六〇代男性）だけでなく、テレビでもこんな論調をよく聞いた。

でも、合意内容とは、それだけだろうか？　「合意」には、まずは日本政府が「責任を痛感」し、「心からおわびと反省」をするとある。そのことを言うと、不思議な反応をされた。

「日本だけが反省するのはおかしい。慰安婦の募集には韓国人も関与した」。さらには「本当は慰安婦なんかいなかった、みんな売春婦だったのだ」という発言までとびだす。「それが日本政府の公式見解なんですか？」――思わず、確認したくなる。

†「慰安婦合意」とは

念のために、ここでもう一度合意内容、つまり日本政府の公式見解を確認しておきたい。二〇一五年の一二月二八日、岸田文雄外相は尹炳世《ユンビョンセ》外相との会談後の共同記者会見で、次のような内容の声明文を読み上げた。

ア　慰安婦問題は、当時の軍の関与の下に、多数の女性の名誉と尊厳を深く傷つけた問題であり、かかる観点から日本政府は責任を痛感しています。安倍内閣総理大臣は、日本の内閣総理大臣として改めて、慰安婦として数多の苦痛を経験され、心身にわたり癒し難い傷を負われた全ての方々に対し、心からおわびと反省の気持ちを表明する。

その上で、次の内容が続く。

イ　具体的には、韓国政府が、元慰安婦の方々の支援を目的とした財団を設立し、これに日本政府の予算で資金を一括で拠出し、日韓両政府が協力し、全ての元慰安婦の方々の名誉と尊厳の回復、心の傷の癒やしのための事業を行うこととする。

そして最後に「不可逆的に解決」という確認がされている。

ウ　日本政府は上記を表明するとともに、上記（イ）の措置を着実に実施するとの前提で、今回の発表により、この問題が最終的かつ不可逆的に解決されることを確認する。

日本では「不可逆的に解決」だけ切り離して語る人もいるが、その前提には「日本政府のおわびと反省」があり、日韓政府が協力して「元慰安婦の方々の名誉と尊厳の回復、心の傷の癒やしのための事業を行う」ことが「合意」されている。

合意ではまた、安倍首相の名で、「日本の内閣総理大臣として改めて、慰安婦として数多の苦痛を経験され、心身にわたり癒し難い傷を負われた全ての方々に対し、心からおわび
と反省の気持ち」を表明している。これが日本政府の公式見解ではないのだろうか。

2　なんと検察から！　韓国の #Me Too——緊張する政界財界マスコミ業界

（二〇一八年二月七日）

†女性検事がセクハラ被害を暴露

平昌《ピョンチャン》冬季オリンピック開幕まで残りわずか、そろそろ韓国も五輪一色！　と思うのだが、なかなかそこにたどりつけない。北朝鮮が軍事的挑発を中止して五輪への参加を表明したのは朗報だが、その後もイベントをドタキャンでギクシャクしたり、またアイスホッケーの南北合同チームをめぐる問題などで、一般国民、とくに若者たちの間にシラケムードが広がっている。かと思えば、慶尚南道密陽《キョンサンナムドミリヤン》市で大規模な病院火災が起きてしまった。度重なる大きな火災、しかも今回は犠牲者に高齢の方が多かったことに、国民はショックを受けた。その傍らで、与野党は責任を押し付け合う。

「前政権時代の問題が……」「いつまで、そう言って逃げるのか」

こういうの、日本でもあるよね、と思う。

政界への失望が大きくなる中、さらに「事件」が起きた。女性検事が自らのセクハラ被害体験を告発したのだ。

今、「韓国版 Me Too 運動」として拡散している事件の主人公は、ソ・ジヒョンさんという現職検事だ。一月二六日、彼女は検察内部のネットワークに、自身が八年前に受けたセクハラ被害についての告発文を載せた。そこには、当時の法務部幹部からのひどいセクハラと、その後の人事における不利益の詳細が記されていた。その三日後、ソ検事はテレビのニュース番組にも出演した。

「性暴力被害者たちに『決してあなたたちに非はない』とのメッセージを伝えたかった」そして自分も被害者の一人だという。つまり「Me Too」だ。さらに彼女は、他の女性検事が受けた被害についても暴露した。

当初、検察幹部は事態を甘く見ていた。検事総長が「(ソ検事に対する)人事過程における問題点を発見できなかった。当事者らがすでに退職しており、問題の把握に困難がある」という反応を示したところ、マスコミも国民もこれを許さず、大騒ぎになった。驚いた検事総長は一月三〇日になって前言を撤回、ソ検事のセクハラ被害に関して徹底した真相調査と応分の処分を約束したが、すでに時遅し。事態は燎原《りょうげん》の火の如く広がっていた。

二月二日には法務部長官が謝罪、そしてついには国家人権委員会が検察を捜査するという、前代未聞の展開となった。

†伊藤詩織さんの事件にも言及する韓国メディア

「アメリカではハリウッドから始まったMe Tooが、なんと我が国では検察から。こんなことがあっていいのか」

「法の番人であるはずの検事すら被害にあい、口封じをさせられている。我々の社会はどうなっているのか？」

ニュース番組ではコメンテーターらの嘆きの発言が続いた。キャスターは「韓国のMe Too運動の始まり」という言い方をしながら、世界各国の例を挙げる中で日本の伊藤詩織さんの事件にも言及した。パワハラとセクハラがセットとなった、働く女性がさらされる暴力は日韓共通だ。一方で男性キャスターが「私の意見ではないけど」と何度も前置きしながら紹介する「一部世論」は、日韓はもちろん世界中で繰り返される「愚問」だった。

「なんで、今頃になって言うのでしょう？」

これに対しては、与党民主党の国会議員イ・ジェジョンさんが、弁護士だった時代の自らのセクハラ被害体験を通して語った。

「専門職の女性は強いと思われるかもしれません。でも、私が何を一番怖れているかわかりますか？　それは常に『女性』という言葉がつきまとうことなんです。女性として被害にあった私としては、その女性性によって専門性を毀損《きそん》されるかもしれない、レッテルを貼られるのではないか、という恐怖がありました」

ここには就職や昇進における具体的な不利益以外にも、「男社会」で働くエリート女性たちの「怖れ」が語られている。彼女は自身のフェイスブックに、ハッシュタグをつけて書き込んでいる。

「弁護士だった頃にも言えずに、国会議員になっても言えなかったこと。けれども #Me Too そして #With You」

女性差別やセクハラ問題は世界共通である。一方で、それぞれの文化的背景によって特徴もある。キリスト教文化圏、イスラム教文化圏、そして我々東アジアの儒教文化圏。実は、欧米でこの運動が始まった頃、韓国人の友人と「韓国の場合、これだけは与野党で紳士協定があるのかも」と話していた。でも、連日の報道を見る限り、今回は聖域なき追求になるかもしれない。

すでに狼煙《のろし》は上った。これからどういう展開になるのだろうか？　政界などに飛び火しないか、ビクビクしている人もいると思う。

○追記

予想通り、Me Too運動は法曹界だけでなく大学、芸能界、文化人など、聖域なき拡散を続けた。なかでも人々に衝撃を与えたのはこの一か月後に、次期大統領候補との期待もあった安熙正《アンヒジョン》忠清南道知事が、秘書だった女性のMe Too告発を受けて、知事職を辞任したことだった。その後の裁判では安熙正元知事には懲役三年六か月の実刑判決が確定した。二〇一六年の「江南駅通り魔事件」以来すでに大きな流れを形成しつつあったフェミニズム運動は、ここに来て一気に国民的な関心を集めるに至った。日本でもベストセラーとなった小説『82年生まれ、キム・ジヨン』は、この年（二〇一八年）の秋に累積販売部数で一〇〇万部を突破。フェミニズムは韓国社会における最も重要なテーマの一つになった。

3　朝鮮半島の安定と韓国軍に入隊した日本人の息子

（書き下ろし）

†南北首脳会談から初の米朝首脳会談へ

平昌オリンピックでの北朝鮮サプライズはそれほど歓迎されたように見えなかったが、その後も南北関係については、文在寅政権の努力は確実に実を結んでいるようだ。

南北首脳会談の速報が入った二〇一八年三月六日は、早朝から「Me Too」で告発をされた安熙正忠清南道知事の辞任という仰天ニュースで大騒ぎとなったところに、李明博元大統領へ検察の出頭要求の速報。本来なら大ニュースとなるところが、直後に「南北首脳会談の決定、場所は板門店《パンムンジョム》」という特大ニュースで吹っ飛んだ。その数日後にはさらに「米朝会談決定」という超特大ニュース。メディアの関心は一気にそちらを向いた。季節外れの「北風」に救われたのは安熙正元知事だろうか、李明博元大統領だろうか。

六月にシンガポールで行われた米朝首脳会談は、まさに歴史的なものだった。非核化もさることながら韓国の人々を興奮させたのは、この会談が朝鮮戦争の終結につながるという期待だった。朝鮮戦争の休戦から六五年、「とても長い戦争」（トランプ大統領）が終わりを告げるかもしれない。朝鮮半島に平和が訪れる。

そんな中、友人の息子さんが軍への入隊を決めた。友人は日本人で夫は韓国人、息子さんは日韓二重国籍である。

「昨年のように北朝鮮のミサイル騒動の最中だったら、軍隊に行かせるのも精神的につらかっただろうと思います。でも、今は南北関係が落ち着いているからホッとしています」

日本人の母親にとって息子の入隊というのは、まさに未知の世界だ。

二重国籍者の兵役義務

韓国が兵役義務のある国であることは、日本でもよく知られている。兵役は通常約二年間だが、除隊後にも「予備役」（八年間）があり、さらにその後は四〇歳まで「民間防衛隊」（通称「民防衛」）への加入が義務付けられている。韓国の男性は通算で約二〇年間、国防の任につくわけである。

ところで「二重国籍者」の場合はどうなるか？　両親のうちの片方が外国籍の場合でも、やはり軍隊に行かなければならないのだろうか？

答えはイエスである。韓国の国籍がある以上は兵役義務がある。例外は韓国で暮らしていない場合（細かい規定がある）と、韓国籍を放棄して外国籍のみにした場合。つまり日韓二重国籍の場合は、韓国籍を放棄して日本国籍だけになれば、兵役の義務はなくなる。国民ではないのだから当たり前だが、これは本人にとっても、両親にとっても、非常に重い選択となる。

日本の法律では二重国籍者の国籍選択は二二歳までと定められているが、韓国の法律では男子の国籍離脱は「徴兵検査の年（満一八歳になる年）の三月末まで」と決められている。もし韓国国籍を放棄するならば、満一七歳になった年の翌年三月末まで、つまり高校二年生のうちに決めなければいけない。さらに、その時点で韓国以外の国に居住しているという条件付きだ。それは日韓に限らず、韓米二重国籍者なども同じだ。

「韓国で男の子を生んだ瞬間から、ずっと悩んできました。軍隊問題というより、アイデンティティーの問題も含めて。夫婦の間では、あくまでも本人の選択に任せようと決めていましたが」

以前、「私の息子が入隊した日」というタイトルの座談会を行った時に、参加者からこのような発言が出た（『中くらいの友だち』四号）。結局、その方のお子さんは韓国で普通に暮らすことを選択し、兵役も国民の義務として受け入れた。

それと別の選択をして、高校からは海外に出る二重国籍者もいる。ある友人は息子が中学を卒業すると、米国のボーディングスクールに入学させた。

「息子はアメリカも韓国も大好きですが、韓国の軍隊生活に耐えられるとは思わなかったのです。二重国籍への未練は少しありましたけど」

韓国の法律は、兵役義務を果たした場合に、もう一つの国が認めれば、二重国籍を持ち続けることを許している。

†スマホアプリでのぞく軍隊生活

韓国の子でも大変なのだから、ミックスカルチャーの子供たちにとっての軍隊生活はさらにきついかもしれない。

「いじめや上官のシゴキなどはないだろうか？」

前述の座談会でもそれが真っ先に話題になったが、心配するのは日本人の母親以上に韓国人の父親だという。「毎日毎日理由もなく古参兵に殴られて……」――父親世代には軍隊時代の暗黒の記憶を持つ人が多い。だから面会に行って、息子たちに「大丈夫、元気にしているよ」と言われても、すぐには信じないのだという。

韓国はこの間、「軍隊内の民主化」にも取り組んでおり、なかでもいじめ問題は最重要課題になっている。メンタルの弱い子は配慮され、特別なバッジを与えられるそうだ。それはいわば「俺はほっといてくれバッジ」であり、みんなが慎重に接するのだという。

「その子に何か問題が起きたら、責任者は処分されます」

座談会に出てくれたお母さんたちは、「はっきり言って、韓国の小中学校より面倒見がいい」と言う。また、親にとってありがたいのは、入隊とともにスマホにThe CAMPというアプリを入れることで、息子たちの日々の様子がわかることだ。

「今日はどんな訓練をして、朝昼晩は何を食べて。献立表も出てくるから安心です」

また、このアプリを通して、息子にメッセージを送ることも可能だという。

「入隊の前は泣いてばかりでした。特に入隊から数日後に軍用郵便で、息子が着ていった服が全て送り返されてきた時はつらかった。その日は、さすがの夫も優しかったです」

スマホのアプリには除隊まで「あと何日」という表示があり、それが毎日更新されるのだという。その数字がゼロになる日が除隊の日だ。

「とにかく無事に除隊してほしい」というのが、全ての親たちの気持ちだろう。そのためには南北の衝突だけは絶対に起きてほしくない。

「息子を軍隊に入れている親こそが、一番平和を望んでいると思います」

それを思うと、文在寅政権が何よりも南北関係を優先するのも、理解できるのだ。

4　徴用工判決、沈黙の韓国大統領と一般の韓国人の反応

（二〇一八年一一月九日）

†判決に困惑する人々

二〇一八年一〇月三〇日、韓国の最高裁にあたる大法院は差し戻し審で新日鉄住金（旧新日本製鉄）に対し韓国人四人へ一人あたり一億ウォン（約一〇〇〇万円）の損害賠償を命じた。日本のメディアは一斉非難、一般の人々も怒っているという。「韓国はどうなっているのか？」と聞かれた。いわゆる「徴用工《ちようようこう》」（韓国では「強制動員被害者」ともいう）問題の始まりだった。

判決翌日には、そのニュースが韓国の各新聞のトップを飾り、社説なども書かれたが、メディアも一般の反応もいつになくにぶいという印象だ。

理由は三つほど考えられる。

まずは大統領府が意見を表明していないこと。どこかから「強力な意見」が出て初めて、

それに賛成や反対という形で発言が出てくる。最初から自分の頭で考えるのは簡単ではない。

次に若者がこの問題にあまり関心をもっていないこと。「それって、何?」(三〇代・女性)と徴用工問題そのものを知らない人もいるし、「もう解決したのに……」(二〇代・女性)という意見も聞いた。「慰安婦問題」などに比べて、裁判の知名度は格段に低かった。

さらに重要なのは、この判決が韓国の人々にとっても非常に「厄介なもの」であることを、大人たちが直感的に見抜いているからだ。

韓国の人々も困惑している、と言っていい。

いろいろな人に意見を聞いてみたが、少しでも自分で考える習慣のある人々は、この問題の難しさに「被害者の方は高齢だし、生きているうちにこの判決が出てよかったとは思うのです。でも、現実的には、政府としても困るんじゃないかな」(五〇代・男性)と言う。

韓国の人々の困惑の理由の一つは、この「徴用工問題」は「慰安婦問題」などと違い、潜在的な「当事者」がとても多いということだ。そこで、否《いや》が応《おう》でも金銭的な補償に耳目《じもく》が集まり、「誰かが得する」的な話になってしまう危険がある。

そこが「慰安婦問題」とは違うところだ。「慰安婦問題」は「名乗り出ること」が勇気のいることであり、そこを突破した女性たちは特別な敬意の対象となった。さらに近年における彼女たちの活動の中心は、日本に対しての金銭的な要求ではなく、あくまでも歴史認識や女性の人権についての問題提起にあった。

それに比べると、「徴用工問題」には当事者が名乗り出ることを躊躇《ちゅうちょ》する事情はなく、その潜在的な人数は遺族を含めるととてつもないことになる。

「判決後、二日間で政府の担当部署に計六二〇件の問い合わせがあった。『私も訴訟できるのか』『賠償するのは日本政府か、日本企業か』という問い合わせが多いそうだ。訴訟のやり方を尋ねる人もいると聞いた」(「韓国人徴用工判決とは何だったのか　韓国人記者が語り合う」『朝日新聞 GLOBE +』二〇一八年一一月三日)

†長く顧みられなかった朝鮮半島出身労働者のこと

一方、日本側の反応は早かった。政府はすぐに見解を表明したし、テレビのワイドショーやネットなどでは、専門家以外の皆さんも居丈高《いたけだか》に韓国批判をしていた。

「すでに解決されたものを蒸し返すのか?」「すでに何度も謝罪したし、金も払った。もう解決済みだ!」

怒鳴るような人もいて、その居丈高な態度は、どっちが加害者かわからなくなるほどだ。

徴用工を含む朝鮮半島出身の労働者は、あの第二次世界大戦の最中、日本のために働いてくれた人々である。劣悪な労働環境の中で大怪我をしたり、亡くなって故郷に帰れなかった人も沢山いる。彼らが日本が引き起こした戦争や植民地支配の被害者であることは紛れもない事実だ。そんな人々に対し、戦後の日本は感謝や慰労をきちんとしたのだろうか。

北海道にいる友人は二〇年ほど前から、道内のダム建設などの現場で亡くなった朝鮮人労働者の遺骨を掘るボランティアをしている。彼が所属する市民団体は、これまでに一〇〇体以上の遺骨を韓国に返還してきたという。

日本政府は「一九六五年の日韓国交回復で解決済み」を繰り返すが、それは「解決の始まり」でもあった。戦後、アメリカ軍政下から、それぞれ独立国家として歩みだしてからも、日本と韓国の間には長らく正式な国交はなかった。戦後二〇年目にして国交は結ばれ、ようやく関係の修復、「仲直り」のための作業を始める時を迎えたのである。

多くのことが見捨てられたままだった。

たとえば私の故郷愛知県にある海軍工廠《こうしょう》は、大戦末期に米軍の爆撃で多数の犠牲者を出したのだが、そこで働いていたのは一般徴用工だけでなく、学徒動員の中学生、女学校生、そして朝鮮半島出身者だった。戦争継続のためには、もうそこに頼るしかなかったのだ。

よく言われる「日本人だって大変だった」というのは本当だ。中学生や女学校の生徒までが動員され、殺された戦争だった。しかし、戦後の追悼行事などでも、そこで一緒に働いていた朝鮮人労働者のことは忘れ去られたままだった。一九八〇年代後半になってようやく、民間ボランティアの手で彼らの存在が確認され、合同慰霊祭が行われ、さらに韓国の遺族にも連絡がとられた。

また愛知県では同じ頃、名古屋でも三菱重工道徳《どうとく》工場における戦時中の強制労働の実態が明らかにされつつあった。それが一九九九年になって三菱重工本社を相手取った訴訟（勤労挺身隊訴訟）となり、韓国での徴用工訴訟につながっていった。

「和解を望んでいたんですよ」

韓国での裁判を引き継いだ弁護士は、何度もその話をしていた。

「日本の最高裁は個人の請求権（個人請求権）は消滅しないことを認めています。さらに被害者は救済されるべきだと言った。それで西松建設は和解しましたね。我々もその機会を待っていたのです」

†問題の核心は一九六五年の日韓条約

「法律的には解決済みでも、人としてやることは終わっていない」——というのが、私の意見だった。一企業と昔の従業員という関係の中で、謝罪や和解が行われるべきだと思ってきた。

ところで今回の判決文をじっくり読んでみて、その「解決済み」が危ういものだということに気づいた。四六ページもの判決文は法律用語など難解な部分もあるが、この問題の本質を探るには大変有効な資料である。特に「解決済み」の根拠とされる一九六五年の「日韓請求権協定」、ひいては「日韓基本条約」こそが、問題の核心であることがわかる。

「条約」には、日韓双方で根本的に合意していない部分がある。それは、「日韓併合」が「合法」か「非合法」だったかという点だ。そこを一致させないまま、あいまいな文章で条約を締結し、国交を回復したのが一九六五年のことだ。

日本政府の立場は、「日韓併合」は「合法」であり、したがって請求権協定によって支払われた「無償供与の三億ドル、有償の二億ドル」は「賠償金」ではなく、「独立祝い金」（当時の椎名《しいな》悦三郎《えつさぶろう》外相の言葉）だとした。つまり、日本政府は賠償の義務を否定していた。なので、今回の件でも散見する「解決済み＝賠償は終わっている」という意見は、逆に日本政府の立場とは相反することになる。

今回の訴訟は「原告らは被告に対して未払賃金や補償金を請求しているのではなく、上記のような（強制動員への）慰謝料を請求している」（判決文）のである。不法な強制動員に対する慰謝料は一九六五年の請求権協定に含まれておらず、それは当時の日本政府自身が認めていたではないか、となる。

法律的な判断については専門家の仕事だが、一九六五年の条約が双方の対立点を残したまま、曖昧な表現で結ばれたのは間違いない。それにしても、なんという時代だったのだろう。日韓の政治家が口裏を合わせて条約を作り、そのツケが現在に回ってきている。もちろん、背景には当時のアジア情勢と米国の存在があった。なによりも重要なのは、この「妥協」ですら二〇年もの歳月を要したという事実だ。それほど日韓の歴史認識は対立していたのである。とはいえ、ようやく実現した日韓の国交正常化が、両国の経済発展や人々の交流に寄与したことも疑いない。今、私たちが両国を自由に行き来できるのも、そのおかげなのである。

この「判決」の意味は大きい。今はこの問題にあまり関心を示さない韓国の若者も、そもそも政治問題に関心がないという日本の若者も、今回の交渉の流れを見ておいた方がいい。後になって「なんという時代だったんだ」と呆れることにならないように。

○追記

判決後、徐々に韓国の人々の関心も高まった。二〇一九年五、六月に実施された世論調査で「日韓の歴史問題で解決すべき問題」として「日本の戦争賠償・強制労働に対する補償問題」を挙げた人は六〇・二パーセント、前年度は四四・一パーセントだった。

5　お蔵入りになった「慰安婦問題」のミュージカル

（二〇一九年三月一二日）

†悪化する日本の対韓感情

韓国大法院による「徴用工判決」は、昨年一〇月三〇日の新日鉄に続き、一一月二九日には三菱重工に対しても同様の判決が下された。日本政府はこれにも「日韓請求権協定第二条に違反するもの」と抗議したが、韓国政府はあくまでも「司法判断を尊重する」という立場を変えることはなかった。

「裁判所の判決ですからね。大統領や政府がそこに介入したらだめでしょう。それは三権分立に反する」

韓国ではそういう声を多く聞いた。そのような中で原告側は賠償金を払わない新日鉄住金が韓国内に保有する株式等の差し押さえに着手した。差し押さえに関する裁判所からの通知が届いた一月九日、日本政府はこれまでにない措置に踏み切った。日韓請求権協定第三条に基づく「協議」を韓国政府に要請したのである。

この「協議」は一〇〇パーセント政府間の外交案件であり、「三権分立だから」というわけにはいかない。しかし韓国政府はこの協議要請にも対応する様子を見せず、日本国内の対韓感情はどんどん悪化した。

「韓国も大変でしょう？　春休みに旅行に行こうか迷っているのだけど」

日本の人々は心配するが、韓国の方はこれがまったく「無風」なのである。日本のメディアが期待するような「反日」も見当たらない。それもあって韓国政府は問題を先送りしているのかもしれない。

最大風速の嫌韓に荒れる日本と、どこ吹く風の韓国。その温度差というか、天候の差というか。両方を知る人々は翻弄された。あっちを説得し、こっちを説得し、どれだけ頑張って説明してもわかってもらえない。

「俺さ、やっぱ韓国に戻ることにした。もう日本人に説明しても、伝わらないし」

日本の事務所をたたんで韓国に移動した日本人ビジネスマンもいる。韓国の方が雑音は少ないし、仕事がしやすいと言うのだ。そのような中でお題としていただいた「今、反日ビジネスが盛況」という日本のモーニングショーのテーマ。こちらも調べてみたら、出てきた問題はまったくの想定外だった。

†「反日ビジネス」とは何？

当該モーニングショーの動画を見たら、「買い物で愛国心あおる？ 〝反日ビジネス〟盛況」というタイトルのもと、以下四つの商品が写真と解説入りで紹介されている。

①スマホケース　利益の一部を元慰安婦に寄付
②「独島化粧品」　利益の一部を竹島（韓国名・独島）PRに
③ボールペン　竹島（韓国名・独島）をデザイン
④カップラーメン　「独島エビ」に見立てた乾燥エビ入り

画面右には「盛況 〝反日ビジネス〟 続々」という文字があるが、韓国在住者なら首をかしげるだろう。「盛況？」「続々？」ちなみに四つの商品のうち②③④はいずれも「独島」関連、「何をいまさら」感がある。

私自身の持ち物を調べてみても、何かのおまけでもらった消しゴムのカバーは独島だし、ずっと以前の貯金通帳にも独島が表紙のものがあった。独島の絵柄は身近にあふれており、いまさら「盛況」も「続々」もないだろう。絵柄としての使われ方は日本の富士山と似ている。ただ、富士山と違って、独島は領土問題を抱えているため、対立する立場からは政治的に見えるのも仕方ないかもしれない。

それでも、日本の「竹島ものがたり」という饅頭ほどストレートではない。「竹島ものがたり」は竹島の形をした饅頭に日の丸の爪楊枝《つまようじ》を立てる仕様であり、はっきり政治的だ。では、これは「反韓ビジネス」なのだろうか？　これが島根県で売られたことをもって「島根県では反韓ビジネスが盛況」などと報道されたら、県民は驚くのではないだろうか。

とはいえ、日本国内で韓国に対する反発がかつてないほど高まっているのはわかる。「慰安婦合意」をめぐる問題、「徴用工判決」とそれを受けての日本企業の資産差し押さえ、海上自衛隊の哨戒機《しょうかいき》に対するレーダー照射問題、そして韓国国会の文喜相《ムンヒサン》議長による天皇謝罪要求発言……。日本人の中には文在寅政権を「史上最悪の反日政権」だと信じている人も少なくない。

†若い女性に人気のマリーモンド――悲しき世代差

ところで、問題となった①のスマホケースはマリーモンド社の製品である。美しい花柄のモチーフはスマホケースだけでなく、ノートやボールペンなどの文房具やファッション雑貨などにも使用されている。二〇一九年一月末、このブランドのエコバッグをもっていた成田空港で働く韓国人女性スタッフが、会社からバッグの使用を禁止された。社外の人物から「慰安婦支援のブランドではないか」などの指摘があったのがきっかけだったという。

　誰が指摘したのか知らないが、詳しい人がいるもんだ。というのは、このブランドについては韓国でも知らない人がいるからだ。

マリーモンド社のウェブサイト（https://www.marymond.jp/）

「私も知らなかったけど、高校生の娘に聞いたらよく知っていた。可愛いけど、ちょっと高いから買えないって」（四〇代・女性）
　大人よりも若い人に人気があるようだ。世代差を感じた。
「高いのは元慰安婦のおばあさんたちへの支援金が含まれているから。デモや集会に行かなくても、買うだけで支援できるというのはいいことだと思う」（大学生）
　日韓カップルの子供にも聞いてみた。
「マリーモンドが反日？　うちのお母さん、日本人なんですけど（笑）。純粋にデザインが可愛いし、元慰安婦のおばあさんを助けたいだけでしょう。反日とか関係ない」（高校生）

ところで調べてみたら、マリーモンド社は「反日」とはまったく別のところで、批判されていた。

†ミュージカルがお蔵入りになった理由

原因となったのは韓国ミュージカルの大御所、演出家のユン・ホジン氏である。ミュージカル『明成皇后』が大ヒットした頃、インタビューしたことがある。偶然ながら彼の姉も知っており、ちょっと身近に感じていた。ただ、作品が個人的に好きになれなかったこと、作品の大ヒットで彼が超多忙になってしまったために、長らく会うこともなかった。

マリーモンド社は彼の息子であるユン・ホンジョさんの会社だった。ユン代表は学生時代から「慰安婦問題」に関心をもち、その解決を企業の観点から考えようとしていたという。ちょうど韓国社会で「社会的企業」の取り組みが始まった頃であり、政府や自治体なども積極的に支援を打ち出していた。

「マリーモンドは人権のために行動し、暴力に反対するライフスタイルブランド」とホームページには書かれており、収益金の寄付先は「慰安婦関連団体」だけでなく、「国際児童人権センター」など他分野の人権団体なども多数含まれている。そんな立派な会社がどうして批判されたのか？

それは、代表の父親のMe Too事件のせいだった。しかも間の悪いことに、公演開始間際だった彼の新作ミュージカル「ウェンズデイ」は、なんと「慰安婦問題」がテーマだったのだ。

「セクハラで告発されるような人が慰安婦問題を扱っていいのか？」

ユン・ホジン氏は謝罪をし、作品は土壇場で公開を延期。その後も議論が続く中、公演は最終的に完全中止が決定、新作ミュージカルはお蔵入りとなってしまった。同時に、マリーモンド社も社会的企業としての態度を問われることになり、代表もまた「父親の件」で謝罪をすることになった。

一連の流れでわかるのは、今、韓国人にとっては「人権問題」がとても重要だということだ。「慰安婦問題」も第一には「女性の人権問題」であり、そこでの態度は非常にストイックである。

日本のネット上には「反日無罪」なる言葉が散見されるが、それが「韓国では『反日』なら何でもあり」的な理解なら、まったくの間違いだ。韓国社会はそんなに甘くない。演劇関係者にも聞いてみたところ、彼は「反日ビジネス」云々は一笑に付しながらも、作品のお蔵入りに心を痛めていた。

「セクハラは糾弾されるべきですが、でも作品は一人の演出家だけのものではないと思うのですが」

日本も最近、性犯罪や麻薬などで逮捕された芸能人の出演作の公開が問題になっているようだが、今の韓国では性犯罪に限っては「作品にも罪がある」という流れになっている。お蔵入りになっている演劇作品、文学作品はとても多い。

6 韓国政府の「沈黙」と日本政府の「報復」——徴用工問題と輸出管理強化

（書き下ろし）

†無言の七か月半

大統領の沈黙は長かった。

二〇一八年一〇月の韓国大法院における「徴用工判決」以来、メディア関係者の間では「忘れちゃったわけじゃないと思うけど」、「大統領は李洛淵《イナギヨン》首相に丸投げしちゃってる」、「日本軽視ってことかな」等々、いろいろ囁かれていた。

その沈黙が破られたのは翌年六月一九日のこと、韓国外務省は「訴訟当事者である日本企業を含んだ韓日両国企業が自発的な拠出金で財源を作り、確定判決被害者に慰謝料の該当額を支給する」というアイディアを発表した。

「え、それは駄目って言ってたやつ?!」と思った人は多かったと思う。これはいわゆる「財団方式」であり、韓国国内ではすでに各方面からその提案があったのを、大統領府が一顧だにしなかったと言われていた案である。七か月半もかかって、まさかこれが出てくるとは……。おまけに「この方式を日本側が受け入れるなら、日本側が求める外交的協議に応じる準備がある」という。

それは順番が違うのではないだろうか。ここでいう「日本側の求める外交的協議」とは、一九六五年の日韓条約の「請求権協定第三条」に基づくものだ。そこには、今回の徴用工判決の件のように、当事者間で解釈が分かれた時の対応についての取り決めがある。

第三条　両国はこの協定の解釈及び実施に関する紛争は外交で解決し、解決しない場合は仲裁委員会の決定に服する

「協定」にはその手順も示されている。

①まずは「外交協議を行い」
②それで解決しない場合は「両国が協議して三〇日以内に仲裁委員を選ぶ」
③それでも駄目なら、両国がそれぞれ「第三国を選んで仲裁委員の選定を依頼する」

日本政府が二〇一八年秋の「徴用工判決」をめぐって、「両国は解釈及び実施に関する紛争状態」だと判断し、この手続きに入ったのは二〇一九年一月九日、新日鉄側に「資産差し押さえ」が通知された日だった。まずは「手順①」の韓国政府に対して外交上の「協議」を求めた。折しも翌日、文在寅大統領の年頭記者会見があり、日本の在韓メディアも参加した。機敏な行動で千載一遇のチャンスを得たNHK特派員はこの「協議」について質問したが、大統領から具体的な回答は得られなかった。

「実は、あなたの後ろの記者をあてたんだけどね」

苦笑いをしながら大統領は言っていた。

その後も韓国側からの具体的な回答はなく、業《ごう》を煮《に》やした日本政府は「手順②」へ駒を進めた。それが五月二〇日に行われた「仲裁委員選定の申し入れ」だ。こちらは三〇日という期限が決められており、そのデッドラインが六月一九日だったのである。そこに至ってようやく韓国政府から出てきたのだが、冒頭でふれた「財団方式」である。しかも、それが「手順①」の外交的協議の「条件」だというのだ。

日本政府はこの日すでに③の手順である「第三国による仲裁委員選定の申し入れ」を行っていた。それなのに韓国政府が出してきたのは、半年以上も前に求めた「手順①」の「外交的協議」に関する回答なのである。

ふりだしにもどる？

日韓関係すごろくが頭に浮かんだが、そんな悠長な話ではなかった。なんと、すごろくをしていたテーブルがひっくり返されたのだ。驚いたことに、ひっくり返したのは日本側だった。

†堪忍袋の緒が切れた？

「ちゃぶ台返し」は七月一日。日本の経済産業省は突如、韓国への輸出管理強化を発表した。対象となったのは半導体製造に使われる素材三品目（レジスト、高純度フッ化水素、フッ化ポリイミド）。これまでの包括的輸出許可から個別輸出許可へ切り替えるという、かつてない措置に日韓がどよめいた。

「ついに堪忍袋の緒が切れましたね」

日本語が上手な韓国の友人は、教科書で習ったような慣用句を使った。韓国人の中にも、この間の韓国政府の対応に問題があると感じている人はいた。とはいえ、こういう形の「報復」（韓国メディア）を予想していた人は少なかったと思う。

衝撃が走った。

日本の人々はどうだったろう。報道を見る限りでは、政府の措置を肯定的に捉えている人が多いようだった。そして日本政府は後に否定したが、人々はこれを当然のように、徴用工問題に結びつけて考えていた。

当日の新聞の見出しを見れば一目瞭然だ。

「韓国への半導体材料禁輸……政府、徴用工問題に『対抗措置』方針」(『読売新聞』二〇一九年七月一日)

「日本政府『我慢の限界』、韓国に強硬措置　元徴用工問題」(『朝日新聞』二〇一九年七月一日)

ネット上には「すっきりとした」という書き込みまであった。「これまで韓国にはやられっぱなしだったが遂に反撃が始まった」というタイプの意見の人も多かった。日本人の多くは「徴用工問題」に関しては、まるで「日本の方が被害者」的な意識になっているようだ。

さらに、経済産業省の発表によると、日本政府は半導体材料三品目の輸出管理強化に加え、韓国を「ホワイト国」から削除するための意見募集手続きを開始するという。その期限は七月二四日。

さらなる衝撃だった。これまで「ホワイト国」などというカテゴリーがあることも知らなかったが、ホワイトでなくなるということはブラックということか？　これは誰が聞いても不愉快だった。

この不愉快さは韓国人の国民感情を大いに刺激した。政府が「日本が三品目の規制を撤回しなければWTO（世界貿易機関）へ提訴する」という対抗措置を発表する一方で、大統領府のホームページには「日本への報復措置を求める」という請願が上がり、賛成意見がものすごい勢いで増えていった。さらにネットでは日本製品不買が呼びかけられた。ユニクロ、アサヒビール、トヨタ自動車などの対象企業名のリストも作られていった。

その時、ひっくり返されたちゃぶ台から落ちたすごろくを、拾い上げたのは韓国の大統領府だった。

七月九日、突如として「六月一九日に日本政府が求めた第三国のみの仲裁委の設置には応じない。財団方式を前提に外交協議に応じる」という表明があった。これまで期限ぎりぎりまで問題を放置していた態度とは明らかに違っていた。

そうしてその期限の七月一八日、河野外務大臣（当時）は駐日韓国大使に、「極めて無礼」という、例の発言をしたのである。怒気を含んだ外務大臣の表情、困惑したような高齢の韓国大使。絵柄は最悪だった。

これはもう修復できないかもしれないと思った。

7 「ホワイト国からの除外」の衝撃――広がる〈反日〉運動

（二〇一九年八月一五日）

†過去とは違う、韓国の反日運動

八月二日、日本政府は輸出手続きを簡略化できる「ホワイト国リスト」から韓国をはずすことを決定した。これに対し文在寅大統領は非常に強い言葉で対抗の意志を表した。「我々は二度と日本に負けない。今日の韓国は、過去の韓国ではない」「（日本の）挑戦に屈服すれば、歴史は再び繰り返される。我々は十分、日本に打ち勝つことができる」

一部の日本の報道機関が使った「盗《ぬす》っ人《と》猛々《たけだけ》しい」という言葉は翻訳語としては適切ではなかったが口調はいつになく厳しく、また韓国政府の対抗措置も貿易分野だけにとどまらず、日韓の軍事情報包括保護協定（ＧＳＯＭＩＡ〔ジーソミア〕）を破棄する可能性にまで言及がされていた。

街頭では日本政府を批判する集会が行われ、また不買運動も拡散していった（本章扉写真参照)。商品棚からアサヒやサッポロのビールを撤去する店が現れ、なんと夏休み映画「ドラえもん」の公開も延期された。知り合いの和食の店もお客が減って困ったことになったという。さらに日本旅行のキャンセルも始まった。

結婚二八年の在韓日本人妻に話を聞いてみた。彼女の夫は民族意識が強くて有名だ。

「うちは政治の話はタブーなんです。特に日韓問題は夫婦で話さないことになっている。だから、今回の問題で夫がどう思っているかわかりません」

「結婚した頃はね、日韓で何かあるたびに大げんかになったんですよ。日本が悪い、いや韓国の方が変だよって。夫は大声をあげることもあって、その時は本気で離婚しようと思いました。でも、今はもうそこにはふれない。長女の結婚問題もあるし、そういう話をしている場合じゃない。というか、日韓問題はどれだけ話しても、わかり合えないと思いますから」

こういう夫婦を他にも知っている。知り合いの在韓日本人男性はこう話す。

「妻と意見が合わないのはわかっています。だから、その話題は出さない。日韓夫婦は、みんなそうじゃないかな。歴史認識が一致しなくても、夫婦はやっていけますから」

なるほど、政治問題は棚上げして、国民同士は仲良くすればいいのかなと、考えることもできる。その男性が続ける。

「日本製品不買とテレビでは言ってるけど、普通に売っていますし。回転寿司チェーンだって、相変わらず行列ですよ。メディアが騒ぎすぎだと思います」

そうだろうか。私自身、一九九〇年に韓国で暮らし始めて以来、何度も日韓関係の悪化を経験し、今回のような日本製品不買運動にも遭遇してきた。九〇年代、日本大使館前で大量のマイルドセブンが燃やされた日、副流煙をたっぷり吸ったあと、ためしに近所のスーパーを回ったら、笑顔で隠してあったブツを出してくれたこともあった。

しかし、今回の不買運動は、これまでとは少し違っている。最大の違いは不買運動のきっかけが、歴史問題でも領土問題でもなく「経済的圧力」にあったことだ。背景には「豊かになった韓国」がある。

今や大企業の賃金は日本より高いと言われ、日本旅行は国内旅行よりも割安と言われる。それがどういうことだ。豊かになったはずの韓国が、いまだ経済的には日本の従属下にある⁈　しかも日本政府はその部分で韓国に圧迫をかけてくる⁈　衝撃は大きかった。

†「盲目的な反日ではない」

片っ端から、韓国人の意見を聞いてみた。「(徴用工の問題は)もう解決済みでいいと思う」とか「今、日本と揉めている場合じゃない」という人も中にはいたが、やはり「今回の日本政府のやり方はひどい」と怒っている人が多かった。
「日本は加害者ですよね。それなのに、またもや韓国に圧力をかけるとは許せません」（四〇代女性）
「徴用工への補償問題は裁判所の判断です。それに経済的報復というのは間違っていますよ」（五〇代男性）
「しばらくは日本製品を使わないようにと思っています。あ、でも捨てはしません。お気に入りもあるから……。使わないのが意思表示！」（三〇代女性）
「夫はね、ユニクロの服を全部捨てろって言うんですよ。でも、どうせ（不買運動は）一過性だから、しまってあります。日本製が嫌だというなら、私が作ったご飯だって食べるなと言ってやりたい」（四〇代、日本人女性）
ユニクロはたしかにどこも閑散としているようだ。発表はしないが、売り上げに影響は出ていると思う。七月には売上高が三割減という日本系の飲食チェーン店もあったし、客数は変わらないが日本酒の注文が減ったと話す和食店もある。
「普段なら日本酒を頼むお客さんが、まあ、こういう時だからと韓国製の焼酎を頼むんですよ。輸入の日本酒と国産焼酎では価格差がけっこうありますからね。お小遣いの節約にはなるでしょう」（和食店の日本人オーナー）

和食店のオーナーの言うとおり、日本製品を買わないことは「お小遣いの節約」になる。日本の酒、日本の文房具、日本製の健康食品、そしてユニクロや無印良品の衣料品……。一九八〇年代のウォークマンや一九九〇年代のノートパソコンのように、絶対日本製が必要だった時代とは違う。今の韓国の一般市民にとって、日本製品は代替可能な小さな暮らしのアクセント。「絶対不可欠なもの」ではない。

その意味では不買運動は誰でも参加できる手軽な「市民運動」である。各種アンケートによる不買運動への参加者は六割強。八月末から新学期が始まり、学生らの同調ムードが高まると、さらに増えるかもしれない（予想通り、この後、不買運動は拡散しつづけ、四か月後の二〇一九年一一月二八日に行われた世論調査では「参加」と答えた人は七二・二パーセントに増加していた。特に二〇代が八一・一パーセントで世代別ではトップ、次が四〇代の七九・七％である。もっとも参加率が低いのは六〇代以上の六〇・四パーセントだった。若い人の方が積極的なようだ）。

「でも盲目的な反日ではないんです。それは日本の人たちに理解してほしい」（三〇代女性）

「相手がどんな国でも、こういうことをされたら私たちは戦います」（四〇代女性）

日本や日本人が嫌いなわけではなく、日本政府のやり方に腹が立つのだという。だから日本大使館前で行われる抗議集会も、正式名称が「安倍糾弾ロウソク文化祭」となっている。「ロウソク文化祭」というのは、あの朴槿恵前大統領を退陣にも追い込んだロウソク集会のことだ。今は韓国民主主義を象徴する大衆運動のスタイルとなっている。

†過去の「反米デモ」と比べてみる

韓国の市民デモは天を震わせ、地を揺るがす。前大統領を退陣に追い込んだロウソク集会は初回で二万人、二回目で二〇万人、三回目で一〇〇万人を動員した。ところで、今回の「反安倍デモ」の参加者は三回目でも一万五〇〇〇人ということで、かなり規模が小さい。これまでも日本関係のデモは小規模だった。日本大使館前では「慰安婦問題」や竹島領有権問題などの集会がひんぱんに行われているが、一般市民を巻き込んだ大規模なものは少ない。

それよりも、一九九〇年代以降の大衆デモといえば、「反米デモ」の方がイメージとしては強い。そもそも、ロウソク集会の起源となったのは二〇〇二年、米軍の装甲車に轢《ひ》かれて亡くなった女子中学生を追悼する集会だった。装甲車を運転していた米兵に、まさかの無罪判決。韓国人みんなが驚き、悔しい思いをした。人々は手に手にロウソクを持ち、韓国全土で抗議の意志表示をした。

さらに、二〇〇八年にも大規模な反米デモが起きた。この時はBSE（いわゆる「狂牛病」）のために輸入禁止だった米国産牛肉を、韓国政府が米国との取り決めで解禁してしまったのが発端だった。この時は中高生や主婦が中心となり、「キャンドル文化祭」の名前で連日のように集会が開かれた。ピークには一〇〇万人が参加し、ついに李明博大統領（当時）の謝罪を引き出すまで、なんと三か月以上も続いた。

なぜ、ここでは反米デモのことを書いたのか、理由は三つある。

①日本には「韓国＝反日」と思い込んでいる人がいるが、そんなことはないということ。むしろ反米運動の方が大規模なものが起きている。

②韓国の大衆デモは組織動員ではなく、一般市民の自発的な参加が鍵となる。

③もし、今回の反安倍デモが大型ロウソク集会となれば、日本を対象としたものでは「初」の事態になること。つまり過去にないほど、今回の日本政府の措置は隣国の人々を刺激したことになる。

現在、予告されているのは八月一五日の集会だ。日本からの解放記念の日のデモには、おそらく市民の自発的参加もあるだろう。問題はその後も続くかどうか。それによって韓国政府の出方も変わってくるだろう。韓国の政治の動きは、一般市民の行動を見て決められる。ある意味、素晴らしく透明であるといえる。

†韓国旅行は大丈夫？

もう一つ、今回のことで再認識したのは、一般の韓国人の成熟した態度だ。今、日韓ともにメディアが熱くなっており、特に韓国のテレビやラジオなどでも日本政府に対する口調はとても激しい。また芸能界では日本人タレントのデビューが見合わされたり、自治体のイベントから日本人ミュージシャンだけ排除される事態も起きている。

「本当にすみません、状況が状況なので……」

排除は当日だったそうで、交通費だけ渡されて帰されたそうだ。

そんな業界や自治体の勇み足に比べると、一般市民の方が冷静である。たとえばソウル市中区《ジュン》が用意した「ボイコットジャパン」のバナー、あるいは堤川《チエチヨン》国際音楽映画祭での日本映画の上映をめぐる問題。いずれも公務員が考える「昔ながらの反日」に一般市民が待ったをかける形となった。ついつい忖度《そんたく》してしまう公務員の悪い癖は、長年の習慣のようなものだと、韓国の政治学教授が言っていた。

一部には過剰とも思えるパフォーマンスもあるが、市井《しせい》には冷静な人たちがいる。それを知っているから、在韓日本人は安心して暮らせるし、「韓国に旅行に行きたいけど大丈夫？」と聞かれても、「普段と変わらないよ」と答えることができる。

†訪日・在日韓国人への嫌がらせ

そこで思うのは、果たして逆はどうだろうかということ。はっきりいえば、今は日本の「嫌韓」の方が予測不能だ。ネット上にはヘイトスピーチや脅迫があふれており、在日韓国人の友人たちの多くが、身も知らぬ他人から嫌がらせにあっている。それでSNS（特にツイッター）をやめてしまった友人たちもいる。

それは、ネット上だけではない。つい最近も、日本に来ていた韓国人観光客が飲食店で暴言を吐かれ、店から追い出される様子が写っている動画を見た。また、地下鉄で韓国語で話していて、日本人から「うるさい、帰れ」と言われた若い女性も知っている。さらに、職場の上司や取引先の日本人に「韓国さあ、どうかならないの？　文在寅って何であぁなの？」とか、仕事と関係ない韓国の話をしょっちゅうされるという嘆きを、在日韓国人の友人から聞いた。

過去には在韓日本人も同じような経験をした。でも、最近は本当に少なくなった。

「二〇〇二年のサッカーW杯ぐらいから韓国は大きく変わったと思うんですね」

韓国で暮らして二二年の在日三世の友人とそんな話もした。あるいは韓国では、教育現場で「愛国心」や「歴史認識」、さらに「多文化共生」が取り上げられており、知的な訓練が積み重ねられていることも関係があるかもしれない（第4章参照）。テーマごとの「正しい態度」が示されている。

テレビニュースなども日本政府批判をさんざん流した最後には、「それでも皆さん、日本人観光客には親切にしましょうね」とアンカーがまとめる。正直、ホッとする。

日本でも、ひとこと言ってくれたらいいと思う。「日本にいらっしゃる韓国の皆さん、安心してくださいね」と。

8　優しすぎる韓国人、日本批判一色の光州で

（二〇一九年九月一〇日）

†民主化運動の聖地といわれる街

八月の終わりに光州に行った。ソウルから高速鉄道で約二時間半、この街は日本でも一部の人にはよく知られている。二〇一八年に日本でも公開された韓国映画『タクシー運転手　約束は海を越えて』の舞台、この街で韓国軍は民主化を求める市民に発砲し、多くの無垢の命を奪った。一九八〇年五月、今から四〇年近く前のことだ。

軍に包囲されて孤立した光州市民は、わずかな期間ながらも自治コミューンを実現させた。多くの犠牲を出しながらも、それがこの街の人々の誇りになっている。「この国の民主主義の土台をつくったのは我々だ」――おそらく、他の地域の人々よりも、光州市民にはそのことに対する強い自負心がある。それもあって、歴史的にも革新勢力が強い。先の大統領選挙でも光州・全羅南道地域では、文在寅大統領の得票率が全国平均よ

りも二〇パーセントも高かった。

光州に行った目的は、この一九八〇年の記録が展示された「五・一八民主化運動記録館」を見るためだった。資料の多くはユネスコ世界記録遺産にも指定されている。学生の日記、手書きのメモ、ガリ版刷りのビラ――市民の生き生きとした記録と、当局によって真っ赤に検閲された新聞のゲラ。解説の若い女性は、日本人である私の前でも、当時の韓国政府と軍への激しい批判を躊躇しなかった。この人たちにとって、政府と市民を区別するのは、ものすごく自然なことである。

「私たちは日本や日本人ではなく、安倍政権を批判しているんです」

昨今の「日本ボイコット運動」で、繰り返し語られることの言葉。時の政府と戦って民主主義を勝ち取ってきた歴史を持つ人々にとって、それは「当たり前」なのだと思う。

この記録館で日本の大学生に会った。日韓関係の悪化で、双方の訪問客の減少が心配さ

記録館に展示されている市民の日記など（著者撮影）

れる中、ソウルや釜山でもない地方都市に、日本の若者が来ているとは！　嬉しくなって話しかけてみたら、大学で韓国語を習っているグループだという。女子が二六名、男子が二名と、男女差はくっきり。ちょうど帰りがけのところで、記録館の代表が通訳を通して学生たちに最後の挨拶をしていた。

「今のこの時期に、韓国に来てくれてありがとう。本当に嬉しいです」

なぜだろう、その笑顔に少し違和感を覚えた。

†違和感の理由

違和感の正体がわからないまま、他の五・一八関連施設を見学し、旧道庁近くの食堂で遅めの昼食をとった。南原《ナムウォン》の名物料理チュオタン（ドジョウ鍋）。全羅南道は韓国随一の食《しょく》処《どころ》でもあり、どんな用事で来ようとも、三度の食事が楽しみになる。

時間帯のせいか客は少なく、店主はしきりにこちらを気にしている。地方都市ではまだ女性の一人客は珍しいのだろう、やがて話しかけてきた。

「ひょっとして、日本人ではないですか？」

一呼吸おいて、そうだと答えると、店主は「アイゴー、カムサハムニダ」（おおー、ありがとうございます）と言う。その上で、料理のおかわりをくれる。食には気前のいい全羅南道だからかなと思って、好意に甘えると、さらに他のおかずまで持ってくる。「もうお腹がいっぱいだから」と辞退しながら、いくらなんでもこれは親切すぎると思った。さらに驚いたのは、支払いの時だった。

「お金はいりません」

それは違うだろう。私にはここで食事をタダで御馳走になる理由がない。ところが店主は断固としてお金を受け取らない。

「今は日韓関係が悪いじゃないですか。でも、私は日本が好きだし、日本の友人たちと写真展をやったこともあります」

そして、こんなことまで言った。

「韓国にはこんな人間もいると、どうか日本の人に伝えてほしい」

びっくりした。最近になって韓国を訪問した日本人の多くが、「行く前は少し怖かったけど、実際に行ったら皆さん普通に親切でした」と言っている。それはその通りだが、光州の人々は少し過剰な気がした。さっきの記録館で感じた違和感もこれだった。「こんな時期に、来てくれて、ありがとう」——ここには、他の地域とは違う何かがあるのだろうか？ 韓国内で孤立した過去、当初は国内よりもむしろ海外からの支援に支えられた光州民主化運動のこと、そんなことも関係あるのだろうか？

†「日本打倒」のハングル文字が日本語だったら？

それとは別のことに気づいたのは、食事の後で光州市の中心部を歩いた時だった。メインストリートの両側にかかげられた、たくさんの横断幕。よく見ると、そのほとんど全てが日本批判だった。

光州の街に張られた日本批判の横断幕（著者撮影）

「反省も謝罪もない不良国家日本打倒！」「日本の経済侵略に対抗して、学生に植民地支配を教える授業をします」「NO　ボイコットジャパン　歴史歪曲、経済侵略、韓半島の平和妨害　安倍政権と賦役者自由韓国党は地球から出ていけ」「歴史歪曲、平和妨害、経済報復　日本アウト！　植民支配　清算しよう」「NO　ボイコットジャパン　行きません　買いません　歴史的真実を否定する日本打倒！」

なんということだ。ソウルや釜山では集会でもない限り、ここまでぎっしりと横断幕が並ぶ光景は見たことはない。観光客に配慮して、フラッグなどが撤去された街もある。また、最近は「NO JAPAN」が「NO ABE」になったりもしている。でも、光州は違っていた。

それ以上に驚いたのは、自分がこの時まで、それに気づかなかったことである。朝も同じ道を歩いたはずなのに、急いでいて横断幕の文字が目に入らなかったのだ。

韓国で三〇年近く暮らし、訛りはあるが韓国語を、話すのも読むのも基本的には苦労しない。でもやはり外国語は外国語であり、内容がストレートに飛び込んではこない。あえて読まない限り、気にならないのだ。もし、これが全て日本語だったらどうだろう？日本語で「日本打倒」と書いてあったら？私は平常心でここを歩けなかったかもしれない。

地元の人は逆だ。ハングル文字がストレートに突き刺さる。あれだけ親切にされたのは、日本批判の海の中にいる日本人観光客に、むしろ彼らの方が心を痛めてしまったからではないだろうか。

攻撃的な文字によるショックは、やはり母国語において、より強烈なのである。幸いなことに、日本人観光客はもとより、在韓日本人の多くも韓国語が母国語ではない。そこで考えたのは在日コリアンのことだ。すでに三世、四世になっている彼らは完全な日本語ネイティブである。彼らがそんな文字を見た時のショックはどれほどのものか。

ある友人はヘイトスピーチに遭遇した日、激しく嘔吐したという。嫌韓書籍が並ぶ棚を見た時、全身に震えがきて、それから書店に行けなくなった人も知っている。

日韓関係の悪化では、メディアが在韓日本人と在日コリアンを並べて取り上げることもある。でも、両者を同じように比較してはいけないと思う。両者はまったく非対称なのである。

9 「曺国事態」をめぐる韓国の「分裂」の現在地

（二〇一九年一〇月一三日）

†検察改革は必要だが

少なくとも八月半ばまで、韓国の「広場」を占拠していたのは、いわゆる「反安倍デモ」だった。集まっていたのは、「ホワイト国」からの除外など日本の貿易規制強化に抗議する人々だ。

「反日ではなくて反安倍政権なんです。日本や日本人が嫌いというわけではなく」ところで、今やそんなものはどこかにふっとんでしまったかのように、広場の景色は一変した。「反安倍デモ」などとはケタ違いの大群衆が、広場を埋め尽くしている。

ことの起こりは八月九日、文在寅大統領が次期法務部長官に曺国《チョグク》氏を指名したことだった。その頃から曺国氏をめぐって様々な疑惑は噴出し、なかでも長女の大学入試をめぐる問題では、大学生が抗議デモを起こす事態となった。ソウル中央地検は二七日、長女の母校の高麗大など関係先の強制捜査に乗り出したが、その頃から支持者の間では、これは検察による「曺国つぶし」だとの声が出ていた。曺氏は検察改革の急先鋒であるため、検察が彼の法務部長官就任を妨害しているというのだ。

数々の疑惑について曺氏は自ら記者会見を行って釈明すると言い、九月三日に実施された。「質問自由の無制限一本勝負」は本当で、なんと所要一一時間。まさにデスマッチのような会見を余裕で乗り切ったスーパー五四歳を、文在寅大統領は九月九日、予定通り法務部長官に任命した。

人事聴聞会に出席した曺国氏（2019年9月6日、提供：東亜日報）

さて、韓国の世論は困惑した。不正は許せないが、検察もやりすぎだという人が多かった。何よりも検察改革は必要だと。賛同と反対の間をゆれる民心。そして検察は法務部長官となった曺氏をさらに詰めていった。

†どっちのデモに行った？

・九月二八日（土）瑞草洞（主催者推定二〇〇万人）

・一〇月三日（祝日）光化門（主催者発表三〇〇万

人〉

・一〇月五日（土）瑞草洞

・一〇月九日（祝日）光化門

「瑞草洞《ソチョドン》」も「光化門」もいずれも地名だ。どちらの場所で行われたかで、その集会の性格がわかる。瑞草洞は漢江《ハンガン》の南側にあり、大検察庁、大法院（最高裁判所）、ソウル中央地検などが集まる「法曹タウン」、司法の中心である。光化門は景福宮《キョンボックン》の正面にある広場のこと。いつもロウソク集会の会場となる場所だ。その二カ所が、今、韓国で最も注目されている。

先に狼煙が上がったのは瑞草洞だった。そこで「検察改革を求める集会」が開かれたのは九月二八日、参加人数は主催者側推定で約二〇〇万人とされた。

「二〇〇万人?! うっそでしょ」

ネットやSNS（ツイッターやカカオトーク）で速報を伝え聞いた多くの人が、とんでもない数字に仰天した。ソウルの人口が約一〇〇〇万人、その五分の一の人数だって？ しかも現場には大人数が集まる広場はない。群衆に埋め尽くされたのは周辺一帯の道路だというが、いくらなんでも二〇〇万人とは……。

「あそこで二〇〇万？　いくらなんでも無理！」「あり得ない。どれだけ集まっても二〇万人ぐらいじゃないか」「まあ主催者発表とはそんなもんだよ」「いや、盛りすぎだ」

たちまちにしてSNSには疑問の声が上がっていた。最近は警察が参加者の人数を発表しないため、メディアは主催者側の発表と独自調査で数字を出す。一部メディアは二〇〇万人という主催者発表の数字をそのまま掲載した。

「検察改革司法積弊《せきへい》清算汎《はん》国民市民連帯は二八日午後六時、ソウル瑞草洞のソウル中央地方検察庁前で『第七回司法積弊清算のための検察改革ろうそく文化祭』を開いた。市民連帯は今月一六日から二一日まで連日集会を開いたのに続き、毎週土曜日に集会を継続している。この日の集会には、集会主催側の推定で二〇〇万人が参加した」（『ハンギョレ新聞』二〇一九年九月二九日）

この数字がある意味、起爆剤になったとも言える。その数字に陶酔する人、その数字に反発する人。それは今の韓国における対立を象徴するものだった。その日のうちに、私の身近でも対立が起きていた。

†なぜ、曺国守護？

現場近くに住む友人の夫（五〇代）はSNSで集会の情報を入手し、一人で出かけていったという。

「ちょっと様子を見てくる」

そして帰ってくるやいなや、興奮冷めやらぬ様子でまくし立てたそうだ。

「おい、二〇〇万人だぞ、わかるか。これが韓国民主主義の真骨頂だ。もう検察の好きにはさせない」

「二〇〇万人?! うっそでしょう。あそこにそんな集まれるわけないし。それになんであなたが曺国のためのデモに行くの? 曺国はいろいろ問題があるじゃないの」

夫が持ち帰ったチラシには「曺国守護」と書いてあった。

「検察の罠なんだよ、あれは」

その日は夫のテンションはとても高く、ずっと話を止めなかったという。

「途中で反論するのをやめました。早く寝たかったから。それに検察改革は必要だとしても、曺国守護というのはおかしいと思うんですよ。もう喧嘩になりそう」

実は、この「曺国守護」の部分がひっかかるという人は少なくない。だからこの日、隣で小さく行われていた保守派による「曺国反対」にもついでに参加した人、つまり両方の集会にダブル参加した人もいるのではないかと、その時点では言われていた。それほど錯綜していたのだ。

友人の夫だって、当初は「様子を見に行った」だけだった。私自身も「守護」という言葉が出てきたのには驚いた。その言葉には、かつて盧武鉉大統領を守れなかったことへの慚愧《ざんき》の念がこめられているのだろうか？　盧元大統領もやはり検察改革を行おうとして道半ばで倒れた。しかも自ら命を断つ三週間前に、検察に出頭して過酷な尋問を受けていた。

†燃え上がる「反政権」デモ

この「二〇〇万人」という数字は、反対派をも刺激した。一〇月三日にはこれに対抗する野党と保守派の集会が、今度は光化門で開かれた。こちらのスローガンは「曺国辞任、文政権退陣」である。

曺国長官一家への深まる疑惑、それにともなう国民的不信を背景に、情勢は野党にとって有利に動いていると思われてきた。そこに飛び込んできた二〇〇万人という数字。信憑性はともかく、それが拡散していく状況に危機感を覚えたのだろう。それが保守派の全国的結集につながった。

友人のお母さん（六〇代後半）は釜山からこの集会のために、チャーターバスに乗ってソウルにやってきた。

「母は政治的な人ではありません。でも、矢も盾もたまらず、友だちと一緒に来たという

曺国法務部長官の解任を要求する集会（2019年10月3日、提供：東亜日報）

のです」

日頃、保守派の集会といえば一部の教会信者や軍人会などの組織動員が多いのだが、この日の様子は違っていた。野党関係者は「あの瑞草洞が二〇〇万人なら、今日は三〇〇万人だ」と発言したが、実際にこの日の光化門に集まった人が、瑞草洞をはるかに超えていたのは航空写真などからも一目瞭然だった。参加者は実際に一〇〇万人を超えていたという人もいて、保守派の集会としては過去最高だった。

それを見て、次は瑞草洞派に気合が入った。前回「盛った」と言われてしまった動員数を現実的に挽回しなくてはいけない。一〇月五日には前回を上回る規模の集会が瑞草洞で行われ、さらに一〇日には光化門と、両派のせめぎ合いが続いた。

地方からバスに乗ってまで駆けつけるほどの、その人たちはどんな気持ちなのだろう？

まずは、みんな怒っている。それぞれの集会に参加した人が、それぞれの理由で怒っている。わかりやすいのは光化門に集まる、「反曺国・反文在寅」の人々だ。

彼らの最大の怒りは、曺国長官一家の一連の不正疑惑である。長女の「不正入学疑惑」や「奨学金疑惑」、そこに「投資ファンド疑惑」なども加わった。ただ、日本のワイドショーで使われていた「タマネギ男」という表現は、少なくとも韓国の地上波テレビなどでは使われていない。人々はもっと真剣に怒っている。

怒りの対象は、そういう疑惑がありながらも彼を長官に任命した文在寅大統領にも及んでいる。朴槿恵大統領の時はあんなに厳しく不正を糾弾したのに、自分の側近となったらそれを認めるのか、それはおかしいではないかと。

わかりにくいのが、瑞草洞で集会を開いている人たちの怒りだ。彼らもものすごく怒っているのだが、それは「疑惑の曺国」に対してではなく、彼の一家を捜査している検察に対してである。現地の新聞の言葉を借りるなら「検察の過剰捜査」、その横暴ぶりが常軌を逸しているというのだ。これについて、一二日も瑞草洞のデモに参加する予定という四〇代女性の怒りを紹介してみる。

「だって曺国長官の奥さんは身体の具合が悪いのに、一一時間も家宅捜査をしたんですよ。そして聴聞会の日に合わせて、彼女を起訴するというのも、あきらかな嫌がらせです。検察は曺国長官をなんとかつぶしたい。そのために、家族に対して過酷な取り調べをしているのです」

「検察は最初から曺国長官を狙っていたんです。周辺の小さな疑惑をかき集めて、メディアにリークしていく。いつもの検察のやり方です。独裁政権時代から何も変わっていない」


複数の人に聞いてみたが、だいたい同じような答えだ。中には他の事件の取り調べとのバランスの悪さを訴える人もいた。現政権に近いハンギョレ新聞の一〇月七日付の社説は、瑞草洞デモについて次のように書いている。

「曺国法務部長官一家に対する検察捜査が行き過ぎだと判断した市民たちは、ややもすれば検察改革が挫折するかもしれないという危機感から決起したのだろう」

†怒る人、心配する人、困惑する人々

怒りは伝わってくるのだが、聞いても聞いても、ストンと腑に落ちないことがある。そもそも、曺国一家の取り調べを指揮しているユン・ソギョル検察総長は、文在寅大統領が「公正さ」を見込んで自ら指名した人だ。

「大統領府であれ、与党であれ、権力型の不正があれば、厳正に対処してほしい」

この、文大統領が自らが望んだ「厳正な対処」が、結果的に「過剰な対処」になってい

るということなのだろうか。

「文大統領はナイーブだったんですよ。検察の怖さを見誤った。彼らは改革などするつもりはなかった」

政権に近いメディア関係者は言うが、だとしたら、なおさら曺国法務部長官の任命を見合わせればよかったのではないか。すでに疑惑が出されている時点で任命を強行した理由がわからない。

検察改革は文大統領にとっての悲願である。それは間違いない。そのために自ら選んだ検察総長と法務部長官。その二人が対立し、しかも、それぞれ応援勢力が街頭で大規模なデモや集会を繰り広げている状況。それが従来の保守派と進歩派に分かれて先鋭化し、国が二分するような事態になっていること。これは予想されたことだったのか。ここまで痛みが伴うことだとわかっていたのか。たとえば、他の検察総長ではダメだったのか。なぜ曺国法務部長官でなければダメなのか。何度聞いてもピンとこない。

それは私が外国人だからではなく、一般の韓国人にも理解できない人はいる。そういう人たちは瑞草洞にも光化門にも行かずに、心配をしている。決して、無関心というわけではない。何をどう信じればいいのかわからず、いったい韓国社会がどうなっていくのか、とても心配だという。

大学生など、若い世代も困惑しているようだ。瑞草洞デモの中心は四〇代、光化門デモはさらに上の世代が中心だ。

「検察改革は必要だけれど、でも曺国を守れとは叫べない。それは別の問題だと思う」という意見はよく聞く。その根っこには、やはり曺国の長女が受けていたという特権、それに対する「シラケ」(怒りと諦め)がある。綺麗事を言っても、やはり特権階級にいる人たちなのだと。

「僕はどちらのデモにも行きません。どちらかを選べと言われても困るし。父は一生懸命デモに行っているんですが」

知り合いの大学生はそう言っていた。そもそも彼らは上の世代のように、二元論的な文化では育っていない。旧世代である私でさえ、どちらの集会に行くかと聞かれたら答えに躊躇するのに、ましてや若い彼らはとても悩むと思う。

善悪とか白黒とか、あるいは左右とか米中とか?　もう二者選択できるような世界ではない。人々も国家もバラバラになっていく。今はもう敵と味方に美しくグループ分けされていた時代ではない。

分裂を繰り返す、混迷の時代。

「考えていてはいけませんか?　今はじっくりと」

大学生に言われた。その方がいいと思った。若い人たちは、大人たちの興奮から少し引いて、今はいろいろ考えてみた方がいい。

10　映画『パラサイト 半地下の家族』と不動産階級社会

（二〇二〇年一月一七日）

韓国映画『パラサイト 半地下の家族』（ポン・ジュノ監督、ソン・ガンホ主演、以下『パラサイト』）が世界中で話題になっている。日本でも先日、公開されたようで、早速あちこちから「見たよー」という知らせがくる。「知らせ」というより、時候の挨拶のような感じだ。「お世話になっております。『パラサイト』見ました」みたいな。そういえば、二〇一九年は「『82年生まれ、キム・ジヨン』読みました」だった。

私自身は昨年、韓国で公開と同時にこの映画を見た。その時から人に話したくてウズウズしていたが、韓国での公開中も「絶対ネタバレは無しで」という注意が出回っていたので我慢していた。

たしかに、この映画はあらかじめ内容を知らない方が絶対に面白い。なので内容にはふれないが、私には書きたいことがある。おそらく映画評論家の皆さんには書けないだろうこと。それは韓国の「半地下暮らし」のことだ。この映画で「半地下」という居住環境は

「貧困の象徴」となっているが、私は「半地下」はもちろん、「全地下」で暮らした経験もある。しかもそこは、映画に出てくる家よりさらに悲惨なことになった（『中くらいの友だち』五号）。

✝不動産階級社会の最下層

私がソウル市内の半地下で暮らしたのは一九九〇年秋、全地下で暮らしたのは一九九二年春のことだ。多くの日本人と同じく、私はそれまで地下室で暮らしたことなどなかった。だから「半地下」と聞いた時は少し「ときめいた」。『地下室の手記』とか『地下水道』とか、なにか文学的なイメージが想起された。私はそこで暮らしはじめて、早速「地下室の酒気」というエッセイの執筆を始めた（原稿紛失中）。

『パラサイト 半地下の家族』

この映画『パラサイト』が二〇一九年のカンヌ国際映画祭でパルムドールを受賞した時に、前年度の『万引き家族』（是枝裕和監督）とその前々年度の『わたしは、ダニエル・ブレイク』（ケン・ローチ監督）と合わせて、

「格差三部作」みたいな言い方もされていた。イギリス、日本、韓国、それぞれの格差社会の厳しい現実。それを象徴するのがイギリスの場合は「フードバンク」（福祉）であり、韓国の場合は「半地下」（住居）というのは実にわかりやすい。というのは、韓国は「不動産階級社会」と言われるほど、住居において階層差が顕在化する社会だからだ（日本の場合は何だろう？　もっとも、この三作を「格差」で読み解くのは、映画鑑賞の方法としてはつまらないかもしれない）。

韓国で『不動産階級社会』（ソン・ナック著）という本が出版されたのは二〇〇八年のことだ。人々が薄々気づいていたことが活字になった衝撃は大きかった。そこには住居によって六つに階級が区分されていた。

①多住宅所有世帯
②住宅所有世帯
③所有住宅はあるがローン等のために賃貸に住む世帯
④保証金五〇〇〇万ウォン（約五〇〇万円）以上の賃貸で暮らす世帯
⑤保証金五〇〇〇万ウォン以下の賃貸で暮らす世帯
⑥地下室、ビニールハウス等で暮らす最貧困層

これが出された一〇年前と現在とでは韓国社会の変化ははげしく、さらに日本と韓国は賃貸システムが違うために、これだけで現在の韓国社会を理解するには無理がある。とはいえ、第一階級が複数の不動産を所有する人々であり、最下層である第六階級に「地下室」があるのは現在も同じだ。

†映画の中の階段

映画『パラサイト』の中には「階段」が頻繁に登場する。それは何かを結ぶものとしてのメタファーなのだろうが、思い出すのは私自身がその前に立たされた時のことだ。

あれは一九九六年、韓国で暮らしてから五回目の引っ越しの時だった。不動産屋さんに連れられていったワンルーム住宅、その入口に階段があった。地上四階+半地下一階という、当時の新築ワンルームとしては典型的な構造だった。地上と地下では家賃に二倍ほどの開きがあった。すでに二回の地下生活を経験し、浸水の被害にもあった私だったが、二分の一の家賃に心は揺れた。それを察知した不動産屋さんは言った。

「あなた、この階段を上る人と下る人のことを考えたことありますか？　毎日、仕事から疲れて帰ってきて、これを上がるか下がるか。よく、考えてみてください。毎日ですよ。

悪いことは言いません。選択する余地があるなら、上にしなさい。下に行ったら、そのまま上って来られなくなるかもしれない」

四〇代半ばの不動産屋さんの真剣な言い方にほだされて、私は地上の部屋を選択した。家賃的には少々無理をしたと思ったが、その後にとんでもないことが起きて、私の家賃は値下がりした。アジア通貨危機（韓国では「IMF危機」という言い方もする）で不動産価格が暴落したのだ。

この時の韓国がどれだけ大変だったか。それも映画になっている（『国家が破産する日』）。その後、韓国経済は表面的には素晴らしい回復を遂げたが、社会の亀裂は埋まることなく、人々の心の傷も癒やされずにいた。それが映画『パラサイト』の伏線《ふくせん》にもなっている。

†映画のリアリティ

映画は韓国での評判も大変よかった。そもそもポン・ジュノ監督とソン・ガンホは韓国映画界では必勝コンビなのだが、今回もその期待に違《たが》わず、観客動員も一〇〇〇万人を突破した。さらに、有名なネイバーの映画評価でも、観客と専門家の双方が平均で九点以上（一〇点満点）をつけている。実はこれは非常に珍しいことで、人気タレントや政治的問題で動員が伸びる映画などの場合は、観客に比べて専門家の評価点が下がったりもする。たとえば日本でも原作が話題になった『82年生まれ、キム・ジヨン』(キム・ドヨン監督)は、観客評価が九・一五なのに比べて専門家評価は六・七九しかない。

またカンヌでの受賞やアカデミー賞のノミネートも韓国の人々には好意的に受け止められている。日本では『万引き家族』に対して「苦言」もあったようだが、韓国では表立って語られることはない。もちろん、陰ではいろいろ言う人はいる。たとえば「暗いから嫌だ」という人もいるし、「極端だ」という人もいる。あるいは、「現実にあんな暮らしをしている人はいるんでしょうか?」とも。

†大統領も困っている

一月一四日、文在寅大統領の新年記者会見があった。テレビで実況中継があったので見ていたが、やはり韓国記者からの質問には「不動産問題」があった。

文大統領の願いは「公平で公正な社会」を作ることであり、支持層もそれを期待している。ところが就任から今まで、格差是正のための政策はなかなかうまくいかず、むしろそれに反することばかりが起きて苦労している。自ら指名した法務部長官の娘の不正入試疑惑は日本でも話題になっているが、それと同じくらい困っているのは不動産価格の高騰だ。

大統領としては不動産価格を抑えたいのだが、市場原理は冷酷だ。投機を防ぐために融

釜山・海雲台のビーチと高層ビル（著者撮影）

資を制限すると、実際に必要な人々が困ってしまうことにもなる。

今、韓国に行くと、ソウルでも釜山でも豪華なタワーマンションがあちこちにそびえている。そのすさまじさは日本以上であり、観光客もみんな驚く。

「まるで未来都市ですね」

特に釜山の海雲台《ヘウンデ》などで感嘆の声を上げる人は多い。

確かに経済発展にともなう全体的な底上げで、大多数の人々の居住環境はよくなったと実感する。私自身もその恩恵を受けて、三〇年前の地下生活とは比べられない、快適な居住環境に暮らすことができた。あの時、階段の前で下を選ばずに上を選んだこと。その家賃を払うために頑張ってよかったと思っている。でも、それは単に運が良かっただけかもしれない。

今もあの階段の前を通ると、つい下を覗き込んでしまう。道に半分埋もれた窓、そこからかすかに光が漏れる。光が点滅している。

第４章
韓国の教育現場から
——日韓どちらが生きづらい？

授業を終えたソウル市南西部の予備校生。手には国家公務員試験用のテキストを抱えていた（2017年4月18日）（提供：朝日新聞社）

1 韓国の学校で学ぶ、日本人の子供たち

（二〇一六年二月五日）

†ブログからSNSへ――閉じてしまった現地のリアル情報

先日、東アジア一帯を襲った寒波により、ソウルはこの冬の最低気温、氷点下一八度を記録した（二〇一六年一月二四日）。そのぐらいになると、夜間も水道の水を細く出しておく。北国の常識だろうが、うっかりすることもある。「朝起きたら水道管が凍って水が出ない」、「室内が寒いと思ったら、オンドル用のボイラーが破裂して、飛び散った水がそのまま氷柱《つらら》になっていた」とか、あちこちから「悲報」が届く。私自身も、その日立ち寄ったバーガーキングで、「今日は暖かい飲み物ができない」と言われた。

「給水管が凍ってしまったんです。コーラでもいいですか？」

だめでしょう、それ。こんなに寒いのに。

住んでみないとわからない、その土地の事情がある。日本の人からよく聞かれる。

「韓国で暮らして大丈夫？　みんな反日で怖くない？」

「子供たちは大丈夫？　韓国の学校でいじめられていない？」

以前はブログ等で現地発のリアルな情報が精力的に発信され、こういった疑問への答えも出されてきたが、最近はかなり少なくなった。SNS全盛の今、逆に情報は外に出にくくなったともいえる。

「日韓関係はとてもデリケート。下手なこと書いたら、すぐ炎上。今は仲間内でコソコソ話すだけ、表になんか出せません」

本音の話はお友達だけで共有、その気持ちはよくわかる。でも、あまりにも現地と日本での印象がかけ離れるのもまずいだろう。そこで、このような現地発の文章を定期的に書こうと思った。

†日韓二重国籍の子供たち

たとえば、年末の「慰安婦問題における日韓合意」（第3章「1」参照）に関しても、一般の韓国人はあまりこの話題にふれないし、特にわれわれ在韓日本人に対しては皆さんとても礼儀正しい。その理由は、「大事な人間関係を壊したくないから」だ。

両国のメディアは国家間の対立関係を強調するが、実際の暮らしでは個人と個人の関係が優先される。そうでなければ、約三万人ともいわれる在韓日本人が、仕事や子育てに打ち込めるはずもない。

参考までに外務省の海外在留邦人に関するデータによれば、韓国での長期滞在者は二万八五五八名（二〇一四年）、これは世界で九番目に多い。一位の米国（二四万四八一名）や二位の中国（一三万六八七名）には及ばないものの、フランス（三万八四八名）やドイツ（三万九八七三名）等とは、ほぼ同水準である。

滞在理由はビジネスや留学など様々だが、「結婚」が占める割合も大きい。

韓国政府の最新データによれば、韓国人との結婚を理由に滞在する日本人は一万三二三九名（男性一四二五名、女性一万一八一四名）であり、さらにそこで生まれた子供（大部分は日韓二重国籍）は一万七一九五名となっている（二〇一五年一月一日現在）。

子供たちの多くは韓国の学校に通い、そこで韓国式の教育を受けている。

「親が日本人ということで、いじめられはしないだろうか」と誰もが心配するが、とりあえずニュースになるような事件は起きていない。むしろ、日本人の生徒がいるところでは、逆に先生やクラスメートが気を使ってくれるという話をよく聞く。

†日本人の子供への配慮

たとえば、つい最近こんな話を耳にした。

ソウル市内の小学校六年生のクラスだ。作文のテーマがなんと「独島《ドクト》（竹島）問題」。「日本のお友達に〈独島は韓国領土だ〉ということを説明する手紙を書きましょう」というのだ。

そこで一人の女の子が手を挙げた。

「先生、私はお母さんが日本人なので、半分は日本人です。その私が日本人に手紙を書くということは、半分の私がもう半分の私に手紙を書くということで、ちょっと変な気がします」

クラスメートは爆笑。先生は少し考えて「そうね、じゃあ、あなたは書かなくていいわ。自習していなさい」と。

「そんな適当でいいんですかね」というお母さんと、「おかげで好きな本が読めて得した」という少女。二人そろってポジティブな性格が功を奏しているのかもしれない。

あるいはこういう話も聞いた。

高校生の息子が友達を連れて帰ってきた。

「お母さん、今日は僕を励ますためのゲーム大会をするから、おやつの方をよろしく」

「はあ?」と思って聞いてみると、国語の授業に、悪い日本人が出てきて、それが偶然にも少年の母親と同じ名字だったらしい。

「だから、今日はゲームを思いっきりやって、みんなで嫌なことを吹き飛ばそうと思って」

「ゲームをやりたいがための口実よねえ」と、母親は苦笑していた。

もちろん、先生や子供も一様ではないだろうし、そもそも「独島」の授業そのものが、日本の子供にとって楽しいものではないだろう。それに、子供心に日本人の親に気を使って、あえて話さないこともあるだろう。だから親たちは学校のボランティアを引き受けたり、学校との接点を大切にしている。ところで、韓国の学校に在籍する日本人の親や子供たちの嘆きの中心はそこではない。

「反日？　それどころじゃないんですよ、韓国の学校は」

2 教科書の中の「慰安婦問題」（二〇一六年二月二五日）

†韓国現地校の日本人生徒

現在、韓国には約三万人の日本人が暮らしている。その子供たちは①日本人学校、②インターナショナルスクール、③韓国の現地校、のいずれかに在籍している。

「日本人学校」では主に日本企業の駐在員の子供たちが、文科省派遣の教師から日本国内とほぼ同じ教育を受けている。「インターナショナルスクール」は教師こそ英米系が多いが、生徒は韓国系の子供たちが多く、日本人を含めた外国人は少数派だ。一方、韓国の「現地校」は先生も生徒も韓国人である。現在、日韓国際結婚家庭の子供一万二九三三名と日本人家庭の子供二九二名、あわせて一万三二二五名が、韓国現地の小・中・高校に在籍している（韓国教育開発院、二〇一四年）。

最近は、「慰安婦問題」が注目を浴びているので、この問題が学校でどう扱われているかを気にする人は多い。しかし、実際の教育現場でこの問題はとても扱いにくい。特にまだ性のこともよくわからない初等教育の段階において、「慰安婦」はデリケートすぎる。

ちなみに小学校の教科書ではこんな記述になっている。

「日帝（大日本帝国）は韓国人学生と若者を戦場に連れて行き、多くの韓国人を鉱山や工場に送って過酷な労働をさせた。連れて行かれた人々の中には女性も多く、日本軍によって多くの苦痛をうけた」（小学校社会六―一）

教科書に「慰安婦」という言葉も「性奴隷」という言葉も登場しない。

実は具体的な表記と写真を載せた試案も出ていたのだが、結局は「小学生に性奴隷という表現を伝えるのは望ましくない」という教育部の判断で見送られた。この「見送り」に関して、韓国国内では反発も出ている。ただ、少し先、中学校の教科書ではかなり詳しい記述になる。

†日本人の母親の複雑な思い

韓国の中学校では二、三年生で韓国史の勉強をする。新学期は三月からで、これを書いている二月現在、子供たちは新しい教科書を手にしている。今年（二〇一六年）、中三になる子供がいる人に、歴史教科書を見せてもらった。

「慰安婦」に関しては、歴史の一場面という別枠で、「強制的に連れて行かれた人々」というタイトルの中に、「炭鉱に連れて行かれた人」、「学徒兵」、「日本軍慰安婦として連れて行かれた少女」と三つに分かれての説明がある。

いずれも参考資料という扱いで、他の著作などからの引用であり、「慰安婦」に関しては「韓国挺身隊問題対策協議会教育資料一」というクレジットが入っている。内容は以下のとおりだ。

「私は一七歳で満州にある慰安所に日本軍慰安婦として連れて行かれました。私たちは日本軍の占領地で性奴隷として酷使されました。私たちは軍需品・消費財の扱いを受け、軍隊と一緒に移動したり、トラックに乗せられて軍隊を訪ねたりしました。戦争が終わったあと、私は運良く故郷に帰ることができましたが、他の友だちは現地に捨てられたり、自決を強要されたり、殺された人もいたそうです。私もやはり羞恥心と貧困に苦しみながら生きています」(『中学校歴史(二)』チョンジェ教育)

その下に、いわゆる「少女像」の写真があり、次のようなキャプションがついている。

「日本軍慰安婦問題の解決を要求するハルモニ(おばあさん)の水曜集会と平和の碑――水曜集会が一〇〇〇回を迎えたとき、日本大使館の前に幼い少女の姿をした平和の碑が建てられた」

ソウル日本大使館そばに設置された「少女像」（著者撮影）

日本人の親の中には、歴史を習う前に日本人学校かインターナショナルスクールに転校させたいという人もいるが、大多数はそのまま韓国の現地校に通う。

三人の子供が小学校から高校までずっと韓国の学校のお世話になっているというある日本人の母親が、中学の教科書を見せてくれた。

前出のものとは別のリベル出版社の教科書だったが、「慰安婦問題」はやはり「歴史の体験活動」という別枠一ページで、「まだ解決されない日本軍慰安婦問題」というタイトルになっていた。内容はどちらかといえば歴史的事実よりも「解決されていない現状」に重きがおかれ、実習ということで「この問題（慰安婦問題）についての動画を作ってみよう」という流れになっている。

「ただね、韓国の場合は現場の先生の裁量がとても大きいので、日本のように授業で教科書をがっちりやるようなことはないんですよ。特に中学の授業は手抜きばかり。むしろ、そっちが問題です。うちの子たちは、時間がないということで動画作りはしなかったそうです」

「子供たちは嫌な思いをしたこともあると思いますよ。長女は小学校のときにそのことで男子にからかわれたので、中学からは女子校に行きました。その後は友達にもめぐまれて、毎日楽しく学校に通っています。大学も日本ではなく韓国で進学するそうです」

母親はニコニコと笑顔で語っていたが、最後に小声で言った。

「でも、私自身は結構ドン引きという場面がありますよ（笑）。慰安婦問題よりも、独島問題ですが」

3　愛国心のシンボルとしての「独島」

（二〇一六年二月二五日）

†これは反日教育だろうか？

日本人の中には、「独島」（竹島）と「慰安婦問題」を「反日セット」と言う人がいるが、韓国でこの二つの問題のポジションはずいぶん違う。

ナショナリズムの文脈で同じように語られることがないわけではないが、前者はずいぶん前から韓国の国家的アイデンティティの象徴のような役割だったし、後者はわりと最近になって注目を浴びたテーマであり、人によって捉え方にばらつきがある。韓国人にとって「独島」は日本の植民地支配とそこからの解放の象徴であり、単純な領土問題以上の重みがある。

中学生になって本格的に勉強する「慰安婦問題」とは異なり、「独島」は幼稚園や小学校など初期の段階から、教育現場でも積極的にとりあげられている。

ある小三の女子は母親に「運動会は午後から来た方がいいよ。午前中はお母さんが嫌な気分になるかもしれない」と言ったそうだ。日本人の母親が運動会のプログラムを見たら、午前中の最後の出し物は、全校生徒による群舞「独島は我が領土」だったそうだ。母親はせっかく娘が気を遣ってくれたからと、午後から運動会の観戦に出掛けたという。

また、運動会に限らず、作文コンクールや絵画コンクールなど、「独島」の関連行事は多い。日本人の親たちの多くは、仕方ないと思っている。それは学校教育の現場に限ったことではないからだ。たとえば、この日本人の母親等が持つ「結婚移民者用利子優遇通帳」（韓国には銀行利子をはじめ、移民者や多文化家庭に対して様々な優遇措置がある）の表紙は「独島」の写真だし、ＫＴＸ（韓国の高速鉄道）に乗れば、「独島は韓国領土」だという映像が流れたりもする。それは日常的な風景なのだ。「独島」が韓国でシンボリックな存在になったのは、歴史的な背景に加え日本に対する「前線」的なイメージも影響しているかもしれない。たとえば、元旦

独島が表紙になった「結婚移民者用利子優遇通帳」（著者撮影）

のテレビでは「独島からの初日の出」の映像が映し出されるが、そこで島を守る韓国軍の兵士の映像を見ていると、なるほど、ここには「北朝鮮に対する優位性」という問題もあるのかなと思う。その背景には「民族国家としての正統性」をめぐる葛藤があるのかもしれない。

†「独島問題」の授業に抗議した日本人のお母さん

韓国が「独島」を強調するのは国家として当然のことなのだろう。国民が一体感をもつ場所は「そこ」であり、当然、公教育の場にも反映される。日本人の中にはこれを「反日教育」と言う人がいるのかもしれないが、どうだろうか？

ところで、控えめなのが特徴と言われる日本人父兄だが、中には果敢な人もいる。

「独島問題をやるのはいいのです。でも、学校は少数派の子供たちにも配慮してくれるべきです。私はそれを言いに行ったのです」

中一の国語の時間だったそうだ。なぜか教科書とは関係ない「独島」の話になり、まるまる一時間がそれに費やされたという。それでなくても、新学期で緊張している娘にいきなりそれはひどいじゃないかと、母親は猛然と学校に抗議した。すると、学校側は驚いて、すぐさま謝罪したという。

「日本人のお子さんがいたら、当然配慮すべきなのですが、新学期が始まったばかりで、知らなかったのです。こちらのミスでした」

この女の子の場合は日韓二重国籍で、学校には父方の韓国姓で通っていたため、担当教師が気づかなかった。校長も担任もとてもいい人で、「今後は多文化家庭の子にも十分配慮した教育を行っていく」と約束してくれたそうだ。

†「多文化政策」の効果

「多文化家庭」というのは、国際結婚や外国人労働者の家庭のことを指す。韓国で「多文化」がはやり言葉のように使われるようになったのは二〇〇〇年代半ば、背景には「少子化対策」の一つとして実施された外国人労働者の正式移入と、農村の「嫁不足解消」のための国際結婚ブームがあった。

現在、韓国で暮らす国際結婚家族は約三〇万世帯、配偶者の国籍別では中国人（朝鮮族を含む）がもっとも多くて全体の約半数、そこにベトナム人、フィリピン人、日本人、カンボジア人が続く。

「多文化政策」は広範囲で行われており、なかでも力が入れられているのは教育分野である。主には多文化家庭への教育支援（無料の韓国語の指導、家庭教師派遣など）、進学の際の優遇措置、学校や地域での多文化イベント開催などだが、日本人の子供たちも「多文化家庭」ということでサービスの対象になる。

その上で、外国人が多いエリアでは「多文化教育のモデル校」として指定を受けている学校もあるし、一般校でも「多文化政策をしっかり実践している」ということは自慢になる。「多文化政策」で大切なことは、少数者（マイノリティ）に配慮することだ。「独島問題」の先の例に関して言えば、その少数者がたまたま日本人だった。したがって、配慮が必要だったわけだ。

もちろん、実際の韓国社会で「多文化政策」が完璧にうまくいっているわけではない。特に貧困と人種的マイノリティが重なった時に生じるグロテスクな差別は、韓国も例外ではない。

とはいえ、外国人であることの居心地の悪さが、教育現場においてはこの多文化政策で、ある程度緩和される。「人種や国籍、民族による差別はいけない」ときっちり教わることは、とても重要だと思う。

「多文化政策はありがたいですよ。日本よりもちゃんとケアされていると思います。ただ、韓国の学校はそれ以外が大問題なのです」

4　韓国の中高生の塾代は？——教育格差の現場

（二〇一六年三月七日）

†韓国ではモンスター・ペアレントになるべき？

「教科書問題」や「愛国心教育」はメディア的には話題になりやすいが、実際の教育現場で重要なのはなんといっても「先生」だ。これは子供をもつ親でなくても、自身が経験した過去を振り返れば自明である。

教師だって人間であり、いろんな人がいる。日本では時々「盗撮」「セクハラ教師」などの犯罪者も話題になるが、そこまでいかなくても「保身」とか「怠慢」とか「傲慢」とか、先生の個性でクラスの雰囲気はガラリと変わる。

「だから新学期が始まったら、まずは担任の先生に挨拶に行きます。私は日本人ですのでよろしくと言っておけば、少しはましでしょう。日本だとモンスター・ペアレントと言われるかもしれませんが、韓国では親が学校に対して積極的にものを言うのは普通のことです。黙っていてはダメなんです」

また、日韓カップルの場合は、配偶者である韓国人の活躍も重要だ。

ある日本人のお母さんは娘がクラス委員に当選したため、自分も学校ボランティア（日本のPTAのような組織。韓国ではクラス委員になった子供の親が役員をやるという慣例がある）に関わらざるを得なくなった。そこで、韓国人の夫は他の父兄を招待して「不慣れな日本人妻をよろしく」と一席設けたという。

韓国はシンガポール等と並んで世界有数の受験大国であり、親の教育費負担も半端ではない。教育のストレスは当事者である若者はもちろんだが、それをサポートする親にも容赦なく襲いかかる。

†あるお父さんのショック

韓国政府が保護者四万三〇〇〇人を対象に実施したアンケート調査によれば、二〇一五年度の私的教育費（家庭教師・塾・習い事）は、子供一人当たり一か月の平均が二四万四〇〇〇ウォン（約二万二〇〇〇円）だという。うち小学校二三万一〇〇〇ウォン、中学校二七万五〇〇〇ウォン、高校二三万六〇〇〇ウォンとある（教育部『二〇一五初中高校私教育費の調査結果』）。

ところで、周囲で耳にした情報は、これよりもかなり多いような気がする。格差ということだろうか。確かに、地域別ではソウル（三三万八〇〇〇ウォン）が最も多く、全羅南道（一六万五〇〇〇ウォン）が最も少ないとある。しかし、ある日本人男性から聞いた話は衝撃だった。彼はソウルでもっともハイクラスといわれる街に住んでいる。

男性も「私的教育費」のニュース記事を読んで、何気なく妻に聞いたそうだ。

「うちの子たちにはいくらかかっているの？」

これまで仕事仕事で、中高生二人の子供のことは韓国人の妻にまかせっきり。給料もまるごと妻に渡し、細かい家計のことは気にしてこなかった。妻の答えは不吉だった。

「ごめんなさい。ちょっと言えない」

「え？」

嫌な予感がした男性は、下の子を食事に誘って、塾代を聞き出した。

「英語と数学と両方で一〇〇万ウォンぐらいかな。あ、あと論述もあった」

一〇〇万ウォン！　日本円で一〇万円だ。男性は動揺を抑え、聞いてみた。

「お兄ちゃんはどうなんだ？　同じくらいか？」

「まさか、お兄ちゃんは高校生だから、もっとたくさんでしょう」

何かが崩れ落ちる音がした。でも、子供の前で取り乱すわけにはいかない。男性は心を落ち着けて家に帰り、妻を静かに問いただした。

「月に四〇〇万ウォン……」

男性は怒らなかった。しかし、妻は敏感に反応した。そしてさらに男性を狼狽《ろうばい》させることを言ったという。

「わかりました。これからは実家の両親に頼みます」

「いや、そういうことじゃないんだ……」

さすがに、この金額は私が聞いた中では最高額だった。ただ、それ以外でも「うちの子が行っている塾は一科目が五〇万ウォン。今は数学と英語で一〇〇万ウォン。これにピアノが一〇万ウォン」という話も聞いた。ここは小中学生二人の子供、合わせて二二〇万ウォン（約二三万円）である。

「周りがみんな塾に行くから、合わせるしかないんです。小学生のうちに中学校の勉強をすべて終えて、中学生になったら高校の勉強をすべて終える。韓国で勝ち残るためにはそれが基本です」

「じゃあ高校では何をするんですか？」

「受験勉強とスペック集め（校外コンクールでの受賞、TOEFLのスコア、ボランティア点数など）です」

†「反日教育どころじゃない」という意味

韓国で受験が大変であり、その伝統は科挙制度に遡るというのはよく知られたことだ。私自身、初めてソウルで暮らした一九九〇年から、韓国には驚かされることばかりだったが、なかでも教育関連は驚愕スコアが高かった。

「この子たちはなんなの？」

九〇年代、日本から旅行で来た母は、まるで怖いものを見るように言った。夜の一〇時過ぎにもかかわらず、市内バスに通学カバンを持った子たちがたくさん乗っていたからだ。

「韓国の子たちは夜まで学校で勉強しているのよ」

その頃はまだ「学校外での課外授業禁止」という法律があり、塾や家庭教師は違法だった。所得によって不平等があってはいけないという、軍部出身の全斗煥《チョンドゥファン》政権時代に実施された新手《あらて》の機会均等政策。その結果、高校生は昼用と夜用のお弁当を二つ持って学校に行った。みんなで学校に残って勉強しようという趣旨だった。

この法律は実に二〇〇〇年に違憲判決が出るまで有効だった。もっとも最後の方は、「ヤミの高額家庭教師」などがはびこり、逆に教育格差を広げる結果となっていた。塾が合法化された後はまさに雨後《うご》の筍《たけのこ》、戦国時代の様相で今にいたっている。

「子供の教育は大切です。その意味では、僕は妻に頭が上がらない。でも、身の丈というものがあると思うのです」

前述の日本人男性は子供の教育費のせいで老後の蓄えもできないことを嘆いた。男性が言うように、こと子供の教育に関しては、各々の「身の丈」が肥大化し、教育費は「家計負債」の原因にもなっている。そして、ここに格差が生まれる。

このすさまじい教育熱が、日本人の親たちにとっても最大の悩みとなる。

「もうついていけない。日本に帰ります」

「反日教育」がつらくて帰国したという話はほとんど聞いたことがないが、韓国の受験教育を避けるため、子供を連れて日本に戻った話はよく聞く。韓国人の配偶者もそれに同意するばかりか、配偶者側が率先して提案する場合も少なくない。「この国の教育は終わっている。日本へ行け」と。

「教育移民」「キロギアッパ」（教育のために母子だけ海外に送り、父親だけ韓国に残る）という言葉がある国だ。国内の教育制度に絶望した人々は、海外に希望を見出す。極端な話、「竹島を自国領だ」と教えている国でもかまわないのだ。

それを考えると、逆に韓国で「愛国心教育」が年々過剰になるのもわかる気がする。国家への求心力を強めるために、それは必要なのだろうと思う。

5　日韓の若者、どっちが生きづらい？

（二〇一七年一一月七日）

†池上彰さんのリポートへの共感と違和感

一〇月三一日付の朝日新聞に、「生きづらい、悩む韓国の若者」という大見出しを見た。「池上彰が歩く韓国to平昌」シリーズの五回目、ほぼ全面を使った大きな記事だ。まずはその大きさに驚いた。この池上さんという人は実力者なんだろう。ところで記事を読み始めると、なんだかイライラしてきた。

「今の韓国は若者にとって生きづらいと言われる。……大学にやっと入った後も、就職試験の勉強に追われるからだ。大変なストレス社会だという」（同記事）

池上さんは、「公務員試験のために受験予備校に通う大学生」、「受験生たちが缶詰になって勉強する考試院《こうしいん》という施設」などを取材し、彼らのすさまじい状況に驚く。たとえば、韓国では公務員試験対策のために大学を休学する学生がいること、彼らが朝七時から夜一〇時まで、一日一五時間も予備校で勉強していることなどだ。

記事は、韓国の若者の環境を総じて大変ストレスフルであるとし、その背景に「就職率が低下」「大企業と中小企業の格差が激しい」「そのための公務員人気」「合格のための過酷な勉強」等を指摘している。

おっしゃる通りだ。リポートの内容はリアルであり、今の韓国社会の若者像を伝えている。なのに、なんでこんなにイライラするのだろう?

原因の一点目は「何をいまさら」感だろう。韓国が学歴社会であるのも、大企業と中小企業の差が激しいのも、ずっと以前から指摘されてきた。考試院という施設も昔からあり、むしろ以前のほうが過酷な環境で公務員試験に望む若者が多かった。

実は、池上さんの前回の記事(「少女と徴用工、像からのぞく変化」)にも、同じような違和感があった。反日感情の問題だった。池上さんは「明らかに変化が見られる」と書いていたが、韓国と長く付き合う日本人にとっては「そんなのは前から」。でも、日本では知られていなかったのだろうし、遅ればせながらも書いてくれてよかったとは思った。

イライラの最大原因はそこではない。それはこの問題が、果たして「韓国的なのか」ということである。ここで指摘される「若者のストレス」は、今の世界ではかなり普遍的なものである。シンガポール、台湾、香港などの東アジアはもちろん、今や米国の若者たちも例外ではない。米国の主要都市には韓国系の受験予備校が進出し、そこではアジア系以外の子供たちも猛勉強をしている。それに池上さんが東京在住なら、他国にはない中学校受験の大変さや、それをめぐる教育格差の問題もご存知だと思う。

†韓国の中高生は、茶髪も化粧も自由

グローバル化した競争社会にあって、少しでもよい暮らしを望む若者たちは、ドメスティックだった過去に比べて、はるかに熾烈《しれつ》な環境で戦っている。韓国（あるいはシンガポールや台湾でも）の特徴は、その参加者の比率が高いところにある。つまり「国際的な競争」に参加する（できる）人数が多いこと、それは悲観すべきことだろうか？（たとえば二〇一九年現在、米国で学ぶ外国人留学生は年間約一〇〇万人だが、出身国別トップ3は中国、インド、韓国の順である。日本は八位、学生数は韓国の三分の一ほどだ。中国がここまで強くなかった一〇年ほど前までは、韓国はインドと首位を争い、今よりさらに多くの留学生が米国の難関大学に進学していた。日本人でもグローバル環境で働くエリート層は、そんな韓国勢の強さを知っている）

ひるがえって、日本の若者はどうだろう？　もちろん、勉強のストレスもあるだろうが、日本発のニュースは他国にはない、極めて「個性的な問題」が多い。たとえば最近裁判に

もなったという「茶髪問題」や「ブラック部活」等。それが原因で不登校や最悪の選択さえも辞さない若者がいるという事実。この「日本型ストレス社会」の異様さを、我々はどこまで自覚しているだろうか。

日本の「茶髪問題（強制黒染め問題）」は海外ニュースでも配信された。英国ガーディアン、ロイター、BBC、タイム誌等々。世界の名だたるジャーナリズムが「特殊な日本の校則」に言及し、ネット上にはそれに対する各国の人々の反応も紹介された。

そこでみる限り、一部のイスラム教国家や北朝鮮のようにネット上の制限がある国を除いては、日本のような厳格な校則をもつ国は他にはないという印象だ。ちなみに英BBCや米タイム誌等は今年二〇一七年四月の朝日新聞の記事を元に、都立高校の五七パーセントが「地毛証明の提出」を求めており、少なくとも一九校が幼児や中学生の時の髪の毛が分かる写真も求めていたことを、驚きをもって伝えている。

韓国の学校には、そのような校則はない。これをツイッターで発信したら、びっくりするような反響があった。日本ではそれはあまり知られていなかったようなのだ。

「むしろ、韓国のほうが厳しいと思っていたのに……」

残念ながら、それは違う。韓国の中高生は髪型や服装について、大幅な自由が認められている。茶髪、化粧、超ミニのスカート。昨年訪問した日本の地方都市の中学校では、日韓交流の場に現れた韓国の中学生を見て日本の生徒たちが驚いた。

「不良の学校なの？」

しかし、相手はソウルの江南《カンナム》にある超エリート校であり、将来、その中の何人かは国際機関で働いたり、政府や企業のリーダー的存在になる。不良どころか、学業も優秀で日本訪問の代表に選ばれた生徒たちなのである。

そんな韓国の中学生から見た、日本の生徒たちはどうだろう？　髪の毛の長さ、スカートの丈、靴下の色も決まっている。化粧やピアスなどもってのほかだ。

「昔は韓国もそうだったのですよ。でも、学生人権条例で全てが変わりました」

引率教師の口から出た「学生人権条例」。採択されたのは二〇一〇年、まずはソウルのお隣である京畿道《キョンギド》からスタートした。

6　韓国の「学生人権条例」――茶髪もミニスカートも自由になった

（二〇一七年一一月一〇日）

†韓国の方が厳しいと思っていた？

二〇一〇年に京畿道で施行された学生人権条例は光州市など他の地方自治体にも波及し、二〇一二年一月には首都ソウル特別市も同条例を公布するにいたる。今から五年前のことだ。当時の韓国国営放送（ＫＢＳ）はこんな風に伝えている。

「条例には、児童・生徒に対する体罰の全面禁止、頭髪や服装の自由、校内集会の許容、持ち物検査や没収の禁止などの内容が盛り込まれており、ソウル地域の幼稚園と小中高校ではかなりの変化が起きることが予想されます」（二〇一二年一月二六日）

ただ、この時点では条例の実効性に対して、世論は懐疑的でもあった。というのは、政府与党（当時は李明博大統領でハンナラ党）は条例に反対の立場から、大法院に「条例無効確認訴訟」を起こしており、その結果が出るまで教育現場は、はっきりとした態度を示さないともみられていた。しかし、いざ蓋を開けてみると、変化は劇的だった。

「頭髪や服装の自由化などを謳《うた》ったソウル学生人権条例が先月二六日発効して以来、初めの新学期を迎える学校の風景は以前とは様代わりしていた。新学期初日の二日、ソウル市江北区《カンブック》のある高校の生徒たちは、染めたりパーマをかけた髪に、短い制服スカートを穿《は》くなど、破格の姿で登校している」(『東亜日報』二〇一二年三月三日)

†無気力化する教員と格差拡大

どちらかといえば条例に反対したり、急激な変化に躊躇する一部の教師や父兄を尻目に、生徒たちは積極的だった。それもそのはず、条例は生徒たちが望んだものであり、また学校のルール作りに自らが参加できる仕組みを持つものだったからだ。

以前の韓国では教師の体罰も日常的だった。殴る、蹴る、立たせる、座らせる、走らせる……。半ば公然化した体罰は、民主化した韓国社会には不似合いな前時代的なものとして、常に議論の対象になってきた。多くの自治体では教育委員会の方針として、各学校に体罰禁止を通達していたが、それが条例として文字通り明文化されたわけだ。

学校である以上は最低限のルールは必要であるとしつつ、生徒たちの自律的な意見を尊重する。たとえば、校則の制定にあたっても、以前のように学校が一方的に決めるのではなく、生徒の投票など「民主的な方法」が採用された。

とはいえ、いいことばかりではなかった。まず、気の毒だったのは、現場の教師たちである。それまで力で生徒を押さえつけてきた教師にとって、思春期の若者を他の方法で管理する術を探すのは難儀な仕事だった。

「口で説得するだけで、中学生の男子生徒が言うことを聞きますか?」

知り合いの中学教師は、そう言って早期退職の道を選んだ。教師の権威の失墜、制御不能な教室に絶望した年配の先生方は一人や二人ではなかった。

教師の無気力ぶりも問題だという。

「中学校は野放し状態です。学校では勉強にならないので、塾に行くしかありません」

そうして塾に行ける家庭の子と、それができない家庭の子との間の差が広がる。さらに言葉遣いや生活態度なども、学校で教師が指導をしなくなった今、家庭によって差が広がるばかりである。それが学校のカラーにもなる。「荒れた学校」を避け、「しっかりした家庭の子が多い」学校を選ぶため、我が子の中学入学と同時に引っ越しをする家庭も少なくない。

7 かわいそうなのは韓国の若者だけだろうか？

（二〇一七年一二月一七日）

†日韓どっちの学校がいいか？

日韓両方の中学校を経験した子や親たちに、「どっちの学校の方がいい？」と聞いてみた。親は国際結婚で、子供たちは二〇歳まで日韓両方の国籍を持つ。

「韓国の学校の方が自由だったことは確か。日本では学校帰りに寄り道はダメだし、なんと授業中に水筒のお茶を飲んだだけで怒られた」（中二女子）

「日本の中学は教室に暖房もなく、寒い日なのにタイツもひざ掛けもダメとか信じられない」（中三女子）

「部活を途中で辞めるのは内申書に響くと言われた」（中一女子）

日本の学校への不満の多くは、学業以外のことだった。一方で良い話もある。

「先生がすごく熱心。宿題もちゃんと見てくれる」（中二男子）

「日本の学校は理科などに実験があるのはいい。韓国の学校は教科書と問題集だけなのでつまらなかった」（中三男子）

「友だちが優しい。K-POPファンの子も多いし」（中二女子）

親の意見も聞いてみた。

「思ったより、日本の学校も大変だなというのはあります。不登校の子も多いし。でも、先生は熱心ですよね。韓国の学校には、あきらかに『塾まかせ』みたいな先生も多かった。自習ばっかりとか」（四〇代、日本人母）

「日本の学校は韓国に比べると細かい規則が多くて大変。私たちの時代よりも厳しくなっているかも。あと連絡がメールではなくプリントや連絡帳というのに驚いた」（四〇代、日本人母）

「韓国の方が時間に余裕があって、子供にいろいろなことをさせられます。日本は部活部活でそれ以外のことは何もできなかった。うちの子の場合は、それでよかったとは思いますが」（五〇代、日本人母）

私は働く大人なので、両国教師の仕事環境にも関心がある。日本の中学校の先生は、総じて忙しすぎるようだ。かたや韓国の先生は意欲減退になりやすい。どちらも大変といえばそうだけど、子供たちの将来や、国の未来を考えた場合、日韓どちらの方がよいのだろう？

†誰が「韓国人に生まれなくてよかった」って？

「私は、韓国人に生まれなくて本当に良かったと思う。韓国は過酷な競争社会である。大学の受験戦争、就職難、結婚難、老後の不安、OECDの中で最も高い自殺率……。加えて男性が虐げられた社会である（女性はそうは思わないかもしれないが、男性にとって悲しい現実）」（「『韓国人に生まれなくて良かった』元駐韓大使が心底思う理由」『ダイヤモンド・オンライン』二〇一七年二月一四日）

元駐韓大使で『韓国人に生まれなくて良かった』（悟空出版）の著者である武藤正敏さんは、このように書いておられる。確かに、彼のような元外交官クラスの「エリート層」で比較すると、日本の方が「楽ちん」かもしれない。大学までストレートの私立一貫校はあるし、授業料や寄付金がバカ高い私大医学部も実質的には富裕層御用達、また「帰国子女枠」なども海外勤務者子弟用の特別コースと言える。

韓国にはそのような、特定の階層向けの学校は用意されていない。富裕層だろうが、エリートの家庭だろうが、過酷な受験戦争に揉まれる。そこで一部の富裕層は専用の「正門」を求めて海外に出るか、国内で「裏口」を探す。朴槿恵元大統領の弾劾の原因となった、「親友」崔順実《チェスンシル》氏には多くの疑惑があるが、中でも国民的な怒りを買ったのは娘の不正入学問題だった。韓国人は教育問題における不公平に対しては、他の何よりも厳しい。それは科挙制度を伝統にもつ国にとって、もっとも大切なモラルと考えられている。

エリート層はさておき、「普通の家の子どもたち」についていえば、今の日韓で大きな差があるとは思えない。韓国の中高は基本的には「標準化」されているため自分で早くから自覚して勉強するしかなく、日本では中学入試、高校入試など段階的な選別の中で、やはり自覚して頑張るしかない。親のサポートがあるかどうかで差ができてしまう点も日韓共通だ。現状では学校に頼れない分、韓国の方が家庭の影響は深刻かもしれないが。

「でも日本には、勉強以外の選択肢もある」という人がいる。あるいは「韓国みたいな大企業志向でなくても、日本は中小企業でもいい会社はいっぱいある」とか、「韓国は老舗がない国だが、日本には親の店を継ぐという選択もある」という声も。以前は私もそう思っていたが、最近はとても懐疑的だ。

†大使、日本だって大変ですよ

中小企業どころか、シャープや東芝など大手メーカーだって大丈夫かという最近の日本。老舗と言われようが、自営業など子供に継がせられないという地方の現実。それどころではない。先週、「高校生二〇人に一人、家族を介護　学校も知らず、支援課題」という記事もみた（『京都新聞』二〇一七年一二月五日）。

この記事によれば、介護をしている生徒のうち、「『二時間以上』が学校がある日で二二・四パーセント、学校がない日は三八・六パーセントおり、『四時間以上』も学校がある日で一四・三パーセント。学校がない日では二二・八パーセントに上る」とあった。これはもう単なる「お手伝い」の域を超えている。学業にも支障をきたす心配がある。

さらに日本の学校における児童生徒への嫌がらせや性犯罪なども、時々メディアで話題になるものの、多くは学校内に隠蔽されたままだろう。特に受験を控えた中高生の場合は、内申書への影響を恐れて生徒も親も我慢している場合が本当に多い。私の実家がある愛知県の小学校で起こった教師による暴力事件も、業を煮やした親が証拠を集めて告発したことで表面化した。

「前から噂は聞いていた。近くの中学にはもっとひどいセクハラ教師もいる」

地元では有名な話らしいが、学校側は知っていながら対応をしないのだという。こういう時に韓国の学生人権条例のような法律があれば、外部からでも対応できる。「今の韓国は若者にとって生きづらい」のは間違いないが、果たして日本の若者がそれほど恵まれているかというと、そうとも思えない。

「韓国の若者は選択肢が少ない」という言い方をする人は多い。勉強以外には評価の基準がないとも。それは韓国人もわかっている。でも、学生のうちにまずは勉強を頑張ってみるのはいいのではないか。それを頑張ることで突破できる「天井」があるかもしれない。多くの子供たちがどんな形であれ勉強することを望み、男女ともに大学進学率も七〇パーセントを超える（日本は五〇パーセント台、地域格差と性別格差がある。女子の大学進学率が五〇パーセントを超えるのは全国で九都府県のみ〔『朝日新聞』電子版、二〇一八年一〇月九日〕）。そして進学先や就職先、その後の選択肢も韓国国内にとどまらない。世界中の国が彼らの視野には入っている。これはシンガポール、台湾、香港等の若者にも共通している。

そんな彼らに比べて、日本の若者の選択肢は多いと言い切れるだろうか？　かわいそうなのは果たして、韓国の若者だけなのだろうか？

日本でもすでに私立中高一貫校などでは、もれなく「グローバル人材育成」を謳っている。日本の若者は今後、グローバルな環境で海外のアクティブな同世代と戦うか、あるいは日本企業で古い頭の同族上司と戦うか。それ以前に、日本は「子供の貧困率」が韓国などよりもうんと高い国なのである。大使、いずこも同じ、若者は大変なのです。

8　韓国の大学受験「七割が推薦」?!　拡大する教育格差

（二〇一九年一〇月二八日）

†高校生の抗議

ソウルの高校生グループの行動が波紋を投げかけている。一〇月二三日、ソウル市にある仁憲《インホン》高校の学生二人が、突如校門前で記者会見を開いた。

横断幕に書かれたスローガンは「学生は政治的な玩具《おもちゃ》ではない」。ニュース番組で見た限り、グループの代表という男子学生二人はほっそりとして肌がきれいな今風の韓国の若者、特に過激な風情はない。ところが発言は強烈だった。

「これまで学生たちは思想教育にさらされてきた」「教師がマラソン大会で反日感情を煽《あお》るフレーズの作成を強要し、反発する生徒にはイルベという烙印を押した」「多くの学生の前で『お前もイルベか?』と侮辱した……」

「イルベ」とは日本の「5ちゃんねる」にも似た、インターネットのポータルサイト「日刊ベスト」の略称。右派性向が強い人々の書き込みも多いため、「イルベ」という言い方は、時に日本の「ネトウヨ」と似たニュアンスをもつ。

この高校生の行動についてメディアの報道にはばらつきがある。保守系新聞が「大学入試を目前に控えた高三が立ち上がった『ひどい思想注入は中断しろ』」(『朝鮮日報』二〇一九年一〇月二四日)と大きく報道する一方で、進歩系メディアは逆の姿勢を見せる。「政治的偏向教師論争……仁憲高校生徒の多数は『誇張されたものだ』」(『ハンギョレ新聞』二〇一九年一〇月二五日)と、行動はごく一部の学生によるものだと反論している。

ところで私の関心は、どちらとも違う。記者会見の前日、一〇月二二日の朝鮮日報インターネット版の見出しにあった「生記簿」という言葉だった。

「政治偏向教育に立ち向かう仁憲高の三年生たち、『生記簿作成が終わったので、勇気を出した』」

「生記簿」(また「学生簿」)というのは「学生生活記録簿」の略。日本でいう「内申書」のことである。それが今の韓国の高校生にとってどれだけ重圧になっているか。それこそが大きな問題だと感じているからだ。

†ソウル大は八割近くが「推薦」？

それにはまず、韓国の大学入試制度についての認識を改めなければいけない。韓国は日本とは違って、「推薦入学」の比率がものすごく高い。それは大学によってばらつきがあるが、平均して約七割が推薦枠。つまり入学者の七割が試験ではなく書類選考（分野によっては実技）で決まってしまう。国公立大学もまったく同じである。むしろトップ校の方がその比率が高いともいわれ、ソウル大学では八割にも達する。

理解の助けとして「推薦入学」という日本語を使ったが、実際には近年日本でも増加傾向にある「AO（アドミッション・オフィス）入試」に近い。韓国ではこれを「随時募集」（略して「随時《スシ》」）という。これに対して、修能《スヌン》試験（日本のセンター試験にあたる）での入学は「定時募集」（略して「定時《チョンシ》」）である。韓国の大学入試といえば、白バイが遅刻生徒を運ぶなど修能試験（定時）のイメージが強いが、実は年々その比重は下がっている。

ちなみに二〇一九年では全大学の平均で随時枠が七六・二パーセント、定時枠は二三・八パーセントにすぎない。大学別だとトップ3であるソウル大学、延世《ヨンセ》大学、高麗《コリョ》大学の定時枠はそれぞれ二一・五パーセント、二九・五パーセント、一五・八パーセントと、名門大学も例外ではない。

†「学生簿」（内申書）に縛られる高校生

今の韓国の受験生にとっては「随時」こそが第一の目標であり、「定時」はそこから漏れた人の敗者復活戦的な意味合いになっている。「随時募集」の申し込みは九月で、一人六校までが応募可能だ。合格発表は一〇月半ばから一一月。そこで各大学は「随時」枠を埋める。この時点で学生のおよそ七割の進路が決まる。学生は、どの大学でも「定時枠」は一一月の中旬に修能試験を受け、その結果をもって一月に希望大学を選択する。随時で合格した子は応募できない。

「随時募集」は書類選考であり、試験はない（学科によっては「論文」「実技」「面接」などが必要）。「学生簿」には高校時代の学業成績の他、校内外での活動実績なども含まれ、大学側はそれらを「総合的に」判断する。つまり成績以外の要素が加わるわけだ。

それはたとえば、語学や科学分野での大会受賞歴（たとえば「数学オリンピックのようなもの」）、ボランティア活動、論文やプレゼンテーションなどのスキルも重要になってくる。要は「スペック」と「業績」である。

先ごろ法務部長官を辞任した曺国《チョグク》教授の長女が高校時代にインターンをした大学の研究所の学術論文で第一執筆者になっていたことが問題にされたが、背景にはこの「学生簿の総合評価」がある。一般の学生にはたどり着けないようなスペック、業績を、特別な環境にある学生たちは手に入れることができるのか？——と、市井の一般人はあらためて悔しく思ったのである。

もちろん、曺国教授が直接関与したのかについては明らかになっていない。ただ、親が大学教授や有力政治家であれば、そこには何らかの忖度があるのではないかと、人々は思ってしまった。学生簿を作成する高校側も、それを判断する大学側も、当事者は「生身の人間」たちである。

「高校教師のコメントの中には、かなり感情的なものもあります。この子は好かれてなかったなと思ったり……。上位の大学では、内申点はほぼオール5みたいな子たちですから、他の部分が重要になります」

入試担当をしたことがある、大学教授の言葉だ。

†受験制度を見直そう——文在寅大統領の声明

もともと、テストの点数に偏りがちな大学入試制度を改革し、受験生の負担を減らすのが「随時募集」の目的だった。ところが、実際に行ってみたところ、逆にこれは公平性を欠くのではないかという指摘が上ってきた。

熱心な親たちは「随時対策」のために奔走し、高いスペック獲得のための専門予備校もできた。そこで、随時募集は「金のさじ選考」という批判を受けることになった。つまりは親の経済力や社会的地位が高い、生まれた時から「金のさじ」をもつ子供に有利な受験制度という意味だ。これによって、大学入試の「格差」はますます拡大したともいわれる。

それとともに、今回の件で明らかになったのは、高校生と教師たちとの関係だ。この「学生簿」に高校生がものすごく蹂躙《じゅうりん》されてしまう。冒頭の高校生グループが、「その作成が終わった後」で学校への抗議行動を起こしたのは、教師たちのもつ権力が恐ろしいからだ。「学生簿」にどのように書かれるか。それを心配しながらの高校生活は、非常に息苦しいものになるのではないか。

文在寅大統領は、このような大学入試における不公平・不透明をどう考えているのだろうか。

驚いたのは一〇月二二日の国会施政演説で、大統領が突然「定時枠の拡大」を表明したことだ。教育改革も文政権にとって重要な課題の一つだが、こんな具体的なことを大統領が突然言うのには驚いた。そもそも大統領は「随時論者」だったはず。もちろん、「随時」の欠陥はずっと問題にしてきたようだが、それにしても唐突だった。

「教育省『文大統領の定時拡大』まったく知らなかった」(『朝鮮日報』一〇月二四日)とい

うタイトルの記事には、担当省庁の役人すらも知らなかったと書かれている。その後、大統領は一〇月二五日に「教育改革閣僚会議」を主催し、「学生簿総合評価」に対する国民の不信が大きい中で、「随時枠」が増えていくことは好ましくないと意見を表明した。その他にも入試改革をめぐる具体的な案が提起され、子供をもつ親たちは「また受験制度が変わるのか」と不安な気持ちになっている。韓国は変わる時は早いからだ。

†合わせ鏡のような日韓

さて、冒頭にふれた仁憲高校では、教師と対立する一部学生を応援すると称して、保守団体が学校に押し寄せるなど険悪なムードが続いた。以前から保守団体は、教職員組合（「全教組」）が生徒たちに偏向教育をしていると主張している（日本の右翼と「日教組」の関係とよく似ている）。それに対して、一般学生らが声明文を発表した。

「学校に対しての外部団体の示威行動はやめてほしい」「学校内の問題は学校内で解決する」

傍目《はため》には外部の政治団体は、学生たちの自主的な行動の足を引っ張っているようにしか見えなかった。

折しも日本でも大学入試改革について、筑波《つくば》大学附属駒場《こまば》高校の生徒からの異議申し立てが話題になっている。そこでもやはり最大の問題となるのは、入試における「公平性」と「透明性」の担保である。そうした批判に対し、日本の大臣は「「身の丈」にあった受験を」という趣旨の発言をしたという。

もう日本と韓国と、どっちがどっちの話なのかわからなくなる。

政策を決めている年配の人々の一年と高校生の一年では、長さも密度も重要性も全然違う。日韓両国ともに、ぜひ当事者のリアルな意見が反映されるように、教育行政当局は努力してくれたらいいなと思う。

○追記

その後、韓国の教育部は「入試公正性強化案」を発表した（一一月二八日）。そこでは「ソウルのトップ一六大学は二〇二三年までに定時枠を四〇パーセント以上に拡大」に加え、「金のさじ」特権ともいわれたスペックや業績の評価の見直し、一方で地方や低所得家庭の学生に配慮する制度の法制化なども項目に上がっている。

同じ頃、日本の文科省は二〇二〇年度から始まる大学入学共通テストについて英語民間試験の実施の見送りを表明（一一月一日）、さらに国語と数学の記述式問題の導入に関しても見送る旨の発表がなされた（一二月一七日）。

第５章
旅、友だち、それぞれの日韓

1970年6月16日、関釜フェリーが就航した（下関市）（提供：西日本新聞／共同通信イメージズ）

1　松山ではヘイトスピーチがありますか?——ある「親日派」の息子

(二〇一四年七月一一日)

†日本に行きたい八〇代の父

セウォル号事故の後、韓国海軍のことが知りたくて、そちら方面に詳しい五〇代の韓国人男性に話を聞いた。

「日本では船長が逃げ出したことが話題です。海の男の誇りはないのかと」

「韓国は日本とは全然違いますよ。軍の中でもエリートは陸軍で、海軍は昔から冷や飯食いなんです」

彼はいわゆる軍事(特に模型)マニアで、その話になると妙にニュートラルになる。日本海軍の美意識や、その手本となった英国海軍の歴史、さらに欧州各国軍の比較などを目をキラキラさせながら語ってくれた。

が、話が軍艦の性質など微《び》に入《い》り細《さい》を穿《うが》ってきたので、そろそろお暇しようかなと思ったら、それを察したのか、「ところで話は変わるんですが……」と声のトーンを変えた。

「日本では最近、ヘイトスピーチというのがありますね？」

不意打ちをくらった感はあったが、こちらの聞きたいことだけ聞くわけにもいかず、上げかけた腰を再び椅子に戻した。

「実は父がまた日本に行きたいと言っているのですが、最近は韓国人排斥運動がひどいようで心配しています」

彼の父親は八〇代半ば、植民地時代に日本の小中学校に通った世代だ。解放後も日本語を忘れないように読書などを続け、中でも夏目漱石のたいそうなファンだという。ならば『坊っちゃん』の舞台である四国松山の旅行はどうかと薦めたのは他でもない私で、二年ほど前に家族みんなで行ってきた。その時に立ち寄った正岡子規の記念館が印象的で、ぜひまた訪れたいと言っているらしい。

「日本を大好きな父があんなデモに遭遇したら、とてもショックをうけると思うのです。松山にもヘイトスピーチはあるのでしょうか？」

†嫌韓グループ「ジェトッケ」

この話をしながら、彼は「ジェトッケ」という言葉を何度も繰り返した。

ジェトッケとは「在特会」の韓国語読み。二〇〇六年に結成された「在特会」だが、韓国で「極右の嫌韓団体」として語られるようになったのは、わりと最近のことだ。私自身も一般人の口からこの団体名を聞いたのは、この時が初めてだった。

韓国のメディアで最初に「在特会」の報道を聞いたのは、二〇〇九年の「京都朝鮮学校公園占用抗議事件」の時だったと思う。ただ、この時はニュース報道のみで、いわゆるベタ記事扱い。その後、ドキュメンタリーや報道番組などでも取り上げられたが、一般の人々が話題にするほどにはならなかった。だから二〇一二年に彼の父親が最初の松山旅行をした時も、ヘイトスピーチの心配など一切出なかったのだ。

それが今では、放射能汚染問題とともにヘイトスピーチは、韓国人が日本旅行や留学をためらう理由の一つにもなってしまった。たとえば、インターネットのポータルサイトにも、こんな質問が上がっている。

「一月に日本に留学予定ですが、嫌韓、在特会のことが心配です。実際のところはどうなんでしょう？　現在の在特会の規模、一般市民の嫌韓パーセント、反在特会デモの規模が知りたいです」（二〇一四年七月八日）

これに対して、日本に留学中の大学生から回答が寄せられていた。

「地域によってばらつきはありますが、普通に生活していれば遭遇することはほとんどないでしょう。東京の新大久保や関西の鶴橋でデモはあるようですが、警察もいるし、『仲良くしようぜ』と声を上げているカウンターもいます。勉強に支障がでるほどではないので、そんなに心配しなくても大丈夫です」

†反日デモと嫌韓デモの違い

私自身も父親の日本旅行を心配する彼に、「松山ではそんなデモに遭遇することはないと思います。地方の人々は親切なので、お父様も楽しく旅行ができると思います」と、少し迷った末に答えた。

彼はそれに「安心した」という代わりに、「日本はどうしてこうなってしまったのか」という話を、今まで一度も聞いたことのないような強い口調で始めた。

「父の影響もあって、私はずっと日本が好きでした。周りがどれだけ日本の悪口を言おうとも、いつもそれに反論していたんです。植民地支配はされた方も悪い。韓国は日本がどうこう言う前に自分が強くなればいい。そう思ってきたのですが、テレビであのヘイトスピーチを見た瞬間に、血が凍りつくようでした。日本人はそんな人たちだったのか。韓国人の中にも日本人を嫌う人はいます。反日デモもある。でも、あんなひどいことは言わないでしょう」

それはたしかにそうなのだ。

私自身もそうだし、韓国で長く暮らす他の日本人の友人たちも、反日感情で嫌な思いをすることはあっても、あのタイプのデモを経験したことはない。韓国人のデモは「批判」や「要求」が中心であり、「憎悪」や「排除」ではない。したがって自分の存在そのものが脅かされるような恐怖を味わうことはないのだ。

韓国で「嫌韓」在特会の存在がクローズアップされたのは二〇一三年の暮れ以降であり、日韓関係の悪化にともなって関心が高まった。それがどこまで影響しているかはわからないが、二〇一四年に入って、日本を訪れる韓国人の数は昨年より減少している。

ただ、最近になって、いいニュースも入ってきている。

七月八日、在特会らのヘイトスピーチに対して京都高裁は、一審につづいて賠償判決を出している。今後、法廷や国会でこの問題が扱われる機会が増えれば、これまでのような露骨なヘイトスピーチは減っていくのではないだろうか。

また韓国の側でも、日本への対決姿勢を露わにした中韓首脳会談（二〇一四年七月三日にソウルで行われた習近平国家主席と朴槿恵大統領の会談。朴槿恵政権初期は「中韓蜜月時代」とも言われていた）に対して、予想外に批判的な声が多かった。中国一辺倒は危険だという地政学的・軍事的な憂慮が、日韓関係のこれ以上の悪化を食い止めるかもしれない。

今の時代、それぞれ国益のために政策が揺れるのは仕方がないのだろう。その上で、日韓は成熟した大人の関係になれるといい。たとえ政治的に対立しても、週末は気楽に行き来して温泉やグルメやショッピングができるような関係は続いてほしい。勤勉で休みの少ない両国の人々にとって、近場で海外旅行ができるお互いの存在はとても貴重である。雨降って地固まる。叶わぬことを求めるより、できることに感謝する。市民は大上段に構える必要はないなと感じている。

○追記

これを書いた二年後の二〇一六年九月、韓国のメディアに松山市の名前が登場した。韓国の水原《スウオン》市が姉妹都市であるドイツのフライブルク市に「少女像」を贈り、その建立の計画を推進中だったのが中止になったという。その背景には、同じくフライブルク市と姉妹都市関係にあった日本の松山市の強い反対があったという内容の報道だった。

この件に関してあらためて確認したところ、松山市のホームページに「市民の問いかけに対する市長の回答」という形での掲載があった。質問者は五〇代男性とある。

「慰安婦問題について、松山市の姉妹都市であるフライブルク市に少女像が設置されると聞きましたが、松山市から抗議していただけないでしょうか」

これに対する市長の回答は「このたび、松山市の姉妹都市であるドイツ・フライブルク市が、韓国・水原市からの寄贈による少女像を市立公園内へ設置することを決定したとの報道により、多くの皆様から様々なご意見をお寄せいただきました」と前置きしたうえで、「松山市としては像設置の決定が残念であることや、両市の友好関係が末永く続くことを願っているため、像設置を取り止めるよう要請を行いました」とある。

今、友人のお父さんに「松山市に行きたいけど」と相談されたら、以前よりもっと返答に悩むだろうと思う。

2　韓流観光の教訓――「寒流」とキーセン観光

（二〇一六年四月七日）

†中国人観光客が嘆く理由

日本人の姿がまばらになったソウル明洞《ミョンドン》。かつては「韓国流行の発信地」とか「韓国の銀座」とも言われた繁華街で、今、その面影を探すのは難しい。最先端のファッションタウンは漢江より南に移動してしまったし、文化を発信していた若者たちもこの街から消えた。今、街を歩いているのはほとんどが中国からの観光客で、店の看板も売り子の呼びこみも中国語ばかりが目立つ。取材に入った店でメニューについて質問をしたら片言の韓国語で言われた。

「今は韓国人の従業員が一人もいないので、韓国語の説明はできません」

日本でも外国人従業員ばかりの店はあるけれど、もう少し日本語が上手な印象がある。ここはお客さんの大多数が中国人だから、それでも構わないというのだろうか。これじゃ、ますます日本人観光客も現地の韓国人も来なくなる、と思っていた矢先、不思議なタイトルの記事を見た。

「韓流観光が『お寒い旅行』に転落……お金払って中国人観光客を買う?」(『中央日報』日本語版、三月一六日)

「観光客を買う」とは生々しいタイトルだが、要は「コミッション」の話だ。韓国のインバウンド旅行社が、観光客を送ってくれる中国の代理店に一人当たりの代価(新聞では「人頭税」という書き方をしていた)を払うということ。この価格が高くなりすぎて、結果として実際の旅行の質が低下しているという話だ。

この中央日報の記事には、昨年(二〇一五年)一〇月九日に中国の江西日報が「韓国旅行、お寒い旅行(寒心游)に終わる」という見出しの記事を大きく掲載したともある。なるほど韓流ならぬ寒流だ(ちなみに「韓」と「寒」の発音は韓国語も中国語も同じ「ハン」である)。ところで、こういった「ダンピング観光」は一九七〇年代のいわゆる「キーセン観光」の頃に、日韓でその土台を作ってしまったものなのだ。

†「キーセン観光」とは

「キーセン(妓生)」とは一般的に「日本でいう芸者」という言い方がされてきた。もっともキーセンにも芸者にもいろいろな変遷があり、一部に議論もある。ここで用いる「キーセン観光」は限定的な言葉であり、「お座敷遊びと買春のために韓国に行く、日本からの団体旅行」のことを指す。当時は批判的な意味で、「売春観光」「セックス観光」という言葉も使われていた。

「キーセン観光」が注目されたのは、一九七三年に韓国の名門・梨花《イファ》女子大学の学生たちが空港で抗議行動をしたことによる。その前後から、韓国のキリスト教団体を中心に実態調査なども行われ、報告書の幾つかは日本語にも翻訳された。

キーセン観光に抗議し、羽田空港でソウル行きの旅行客にビラを配る「キーセン観光に反対する女たちの会」会員たち（1973年、提供：朝日新聞社）

たとえば『キーセン観光実態報告書』（韓国教会女性連合会編・山口明子訳、NCCキリスト教アジア資料センター）は一九八三年六月に韓国で発行され、翌年の二月に日本で全訳が出た。読みなおしてみて、ちょっとため息が出た。

この小冊子で丁寧に描かれている

韓国は、「一九七八年一一月に観光客一〇〇万人を達成し、さらなる観光客誘致に邁進する国」。今もよく似た言い方を見るが、当時は外国人観光客のうち八〇パーセントは日本人男性であり、旅行目的のほとんどはキーセン・パーティーだった。「韓国は欲望の全てを満たしてくれる」というのがパッケージツアーのコピーだった時代。日本人の男性たちが韓国女性（「観光要員」「接客員」という正式な言い方もあった）相手にどのように遊んでいたか、それを当の女性たちはどう見ていたか、実に赤裸々に表現してある。ある年齢以上の日本人の多くは、この時代の男性たちの「特殊な団体旅行」を記憶していると思う。

ちなみに赤裸々なのは韓国側の報告書だけではない。日本の「旅行書」もすさまじい。

†女性の裸体まで登場するガイドブック

日本人の観光目的の海外旅行が解禁されたのは一九六四年、旅行自由化は一九六六年である。当初は富裕層中心だった海外旅行だったが、一九七〇年代に入ると一気に大衆化する。それを加速させたのは、ジャルパックなどから始まった日本特有の団体旅行である。日本人の戦後初のパッケージツアーは一九六五年、渡航先はハワイである。

一方、韓国旅行は一九六五年の日韓国交正常化をもって始まる。一九六五年には年間約五〇〇〇名だった日本人観光客が、翌年には約二万人、一九七二年には二〇万人を突破、一九七三年には四〇万人を超えている。梨花女子大学の学生が「キーセン観光反対」のプラカードを持って空港に立ったのはこの頃である。

当時の「旅行書」を見ると、日本人観光客が韓国旅行に何を求めていたのかがよくわかる。たとえば『東南アジアひとりある記――韓国からシンガポールまで』(平岩道夫、白陵社、一九六九年)の第一章は韓国であり、そのほとんどは「夜の楽しみ」に関する記述である。

「楽しいキーセン・パーティー」「礼儀正しいキーセン達」「韓国よいとこ〝男性天国〟」……。露骨な見出しが続く中、なかでも驚いたのは、「日本の旅行者が女の値段を釣り上げる」という見出しの部分にあった裸の女性の写真である。同じページには以下のような記述がある。

「『どんな美人でも、最高五〇〇〇ウォン以上は絶対にやらないでほしい』と地元観光業者の言葉。『それでなくても日本人旅行者は〝女の値段〟を釣り上げてしまう』そうだ」

この本は一九六九年の出版であり、七〇年代に始まる「第一次韓国旅行ブーム」直前のものである。その後、団体旅行が始まると「女の値段」は管理されていく。この仕組みについては、『キーセン観光実態報告書』に詳しく書かれている。

簡単に言えば、日本の旅行会社が観光客を募集するにあたり、韓国内のインバウンド旅行社が競争入札という形で価格設定をする。競争によって価格破壊が発生し、その赤字をキーセン・パーティーやホテルからの「手数料」(コミッションやバックマージン)で埋め合わせる。これが冒頭に記した「寒流観光」の原型という意味だ。

こうして旅行価格が安くなることによって、海外旅行でありながらも韓国旅行のハードルは一気に下がった。それとともに始まったのが「爆買い」である。この場合のショッピング対象は女性である。それを見る、韓国側の目は冷ややかだった。

†「最下層の労働者」と「新版女子挺身隊」

「主にキーセン観光を楽しみに来る日本人は、自分の国では最下層の労働者です。彼らが我が国に来てキーセンパーティーをし、二泊三日の旅行に必要な金は、日本でかかる費用の五分の一しかかからないんです」(済州島の料亭の人)

「この人たちの程度はひとくちで言って、自分の国ではホテルというところに出入りしたことのない人が大勢いる。例を挙げると、エレベーターの動かし方を知らないかと思えば、洗面所の洗面設備の使い方も知らないのでいちいち教えてやり、寝間着姿で廊下をうろついたり、廊下を靴を脱いで裸足で歩く」(釜山のホテル従業員)

『キーセン観光実態報告書』には、このような聞き取り調査の内容が掲載されている。これらの証言の後に、「こうした下層労働者や農民たちで構成された日本人観光客」という文章が続く。

「下層労働者や農民」という階層表現には一瞬ギョッとするが、その後の「農協の農民や工場のボーナス・ツアー」という文章を読むと合点《がてん》がいく。つまり「慰安旅行」のことなのだ。本来は社員や組合員相互の親睦を深めるための団体旅行だが、男性のみの場合は旅先の風俗店で遊ぶという定番のスタイルがあった。過去にはそちらで名をはせた日本国内の温泉地も少なくないが、それを海外である韓国でも、そのまま実行したというわけだ。

それにしても、日本で「慰安」という言葉の使われ方は特異だ（そういえば、九〇年代初頭に米国人の友人が、慰安婦を comfort women と表記してある英文記事を見て、「違うだろう！」と言っていた）。

『報告書』には過去の「慰安婦」を念頭に置いた、「新版女子挺身隊《ていしんたい》」という言葉も登場する。韓国ではずっと以前から「慰安婦」と「挺身隊」という言葉に混同があったが、「キーセン観光」が始まった一九七〇年代は、まだ日本統治時代の記憶が生々しかった時代である。解放時に二〇歳だった人が四〇代、社会の中心にいた。

日本のガイドブックは一様に「韓国は日本語が通じるので安心」と嬉しそうに書いているが、それはつまり当時の韓国人の多くが、つい最近まで「日本人」だったのであり、

「その時の記憶」をしっかり持っているからにほかならない。

一九七〇年代の韓国はまだ貧しく、大多数の国民は日々を生きるのに必死だった。さらに性的産業に従事する者への偏見もすさまじく、今のような「慰安婦問題」についての国民世論を形成することはなかった。しかし、女子大生やエリート女性たちが、当時の「キーセン観光」を過去の「慰安婦」と結びつけたとしても、それは当然のことだろう。

戦後、日本の女性ジャーナリストとして初めて本格的に韓国現地の取材をした佐藤早苗の優れたレポート『誰も書かなかった韓国――近くて遠い隣人たちの素顔』(サンケイ新聞社出版局、一九七四年)は、「『女子挺身隊』という名の慰安婦」という項目の最後を、次のように締めくくっている。

「彼女たちはたいてい五十二、三歳になっているが、決して過去を語ろうとしない。どこかでひっそりと、キーセン遊びなどに興ずる日本人観光客たちをみすえているはずである」

†リベンジとしての韓流

戦後、日本人による最初の韓国旅行ブームをこの「キーセン観光時代」とするなら、第二期はソウル・オリンピック(一九八八年)から始まる九〇年代で、韓国料理や民族音楽などの文化への関心も高まり、女性も韓国旅行をするようになった。そして第三期がサッカーW杯の共同開催（二〇〇二年）と「冬ソナブーム」（二〇〇四年）を起点とする、いわゆる「韓流」の時代である。

私自身が直接韓国旅行関係の仕事にかかわったのは二期と三期、女性観光客向けの観光コンテンツのリサーチ、取材をしていた。面白かったのは日本女性が増えることによって、男性たちが撤退せざるを得なかったことだ。九〇年代半ば、韓流ブームはまだ先の話だったが、アカスリや韓国料理目当ての女性観光客が増え始めていた。

私の母が友人とパッケージ旅行で韓国にやってきた九〇年代初頭、ソウル市内を移動中にワゴン車の中で、同乗の男性客たちと大げんかになった。男性たちは「昨夜の話」をヒソヒソしていたのだが、それがだんだん露骨になっていき、とても気分が悪くなったという。ガイドの若い韓国女性も明らかに嫌そうな顔をしていた。そこで、母は友人に向かって、わざと聞こえるような声で言ったそうだ。

「嫌よねえ〜。若い女性の前で」

「若い女性なんかいませんよ」

男は小さい声で言ったと思うのだが、母の耳はある周波には敏感だ。しかも、当時はいろいろ別のストレスも溜まっていた。

「あらあらあら、私達のことじゃないですよねえ。ガイドさんに聞こえているということ。説明も聞かずに、女の話ばかりして」

十ばかり年下の男性たちに向かって、母と友人は「日本の恥」「国賊」とか大騒ぎしたらしい。

この頃から「男性天国」とも言い難くなった韓国旅行は、その後に韓流ブームで女性客が急増、二〇〇八年にはついに韓国を訪問する日本人全体の男女比が逆転する。訪韓客の中には母娘という組み合わせも増え、それぞれが好みの韓流スターに熱を上げる場合もある。それを見ながら思った——「韓流はリベンジだ!」。彼女たちはまさに、七〇年代、八〇年代に「キーセン観光」を謳歌していた日本人男性の妻と娘たちの世代だったからだ。

韓国旅行に行くのを家族には九州出張と嘘をついていたお父さん。羽田の免税店では韓国の愛人のためにブランド品を買い、妻には南大門市場でコピー商品を買って帰国したご主人。卑屈だった夫たちとは違い、妻たちは堂々と夫を家に残し、韓流スターのファン・ミーティングに出かけた。

さらに女性たちは、旅行代理店のセットしたツアーを好まず、自ら得たネット情報を元に個性豊かな旅行を始めている。日本人の韓国旅行の形が変わっている。これから面白くなるかもしれない。

3　韓国人が愛した南阿蘇鉄道のこと
――熊本地震に思う、九州と韓国の特別な関係

（二〇一六年四月二六日）

†二〇年前の韓国のテレビ番組

まずは、二〇一六年四月一四日に起こった熊本地震で亡くなった方々へ黙禱《もくとう》を捧げたい。そして、何もできないけれど、祈りを込めて書こうと思う。南阿蘇《みなみあそ》鉄道の話だ。韓国で南阿蘇鉄道を紹介する番組を作ったのは二〇年前のことだった。シリーズ名は「汽車に乗って世界旅行」（KBS、一九九六・九七年）、第一回目が日本の九州だった。

あのエリアをテレビで紹介するのは、韓国では初めてだった。JR九州とのタイアップもあったのだが、この第三セクターは私の希望で無理やりねじ込んだ。ローカル線を守り、そこに寄り添って暮らす日本人がいることを、韓国の人々に知って欲しかった。偶然ながら、始点・終点の高森《たかもり》駅には友人の姉が嫁いだ酒蔵があり、そこも取材させてもらった。

南阿蘇鉄道は今回の地震で全線が不通になっている。始点・終点の立野《たての》駅がある南阿蘇村の大きな被害が伝えられる一方、高森駅がある高森町についての報道は少ない。四月一七日の国土交通省の発表では「南阿蘇鉄道の高森線では、立野〜長陽《ちょうよう》間のトンネル内壁においてひび割れや、橋梁《きょうりょう》にも変状などが認められるも詳細不明」とあった。

ネットで情報を集めているうちに、ふと気になって韓国のポータルサイトで「南阿蘇鉄道」を検索してみた。すると、この鉄道のことを書いた韓国の人たちの旅のブログがたくさん出てきた。

「韓国に帰って来たのに、またすぐにでも行きたい」

ブログには車内や沿線駅での記念写真があり、そこには南阿蘇の旅を楽しむ韓国や地元の人々の笑顔があった。廃線の危機が何度もあった南阿蘇鉄道が頑張れたのは、こんな見えない応援が力になったのかもしれない、と思って、調べたら予想通りの新聞記事が出てきた。

「熊本）外国人乗客三倍増　南阿蘇鉄道の黒字に貢献」（『朝日新聞』二〇一五年六月一六日）

この記事によれば、外国人乗客のほとんどが韓国と台湾からの観光客とある。

†韓国人クルーと元国鉄職員

「韓国の人はすごいですね。いやあ、感動しました」

二〇年前の南阿蘇鉄道の取材で、鉄橋を通過する列車を下から撮ろうと、カメラをかついで谷底まで降りた韓国のクルーに、案内してくれた鉄道会社の広報担当者は本当に驚いていた。

「日本のテレビ局も、ここまでは降りなかったんですよ。いやあ、君たちは本当に偉い！」

広報担当といっても、当時の第三セクターの職員はほとんどが旧国鉄の退職者だった。韓国人のカメラマンは逆に、「こんな年齢の人が一緒に降りて来てくれて、びっくり」と自分の親世代の日本人に感激していた。ここで信頼が生まれ、我々は「チーム」になった。

当初は「韓国の観光客がこんなところまで来ますかねえ」と取材に消極的だった南阿蘇鉄道だったが、こ

鉄橋を渡る南阿蘇鉄道（2013年7月、提供：共同通信社）

の担当者が頑張ってくれたおかげで、シリーズの中でもこの回は出色の出来栄えとなった。ここ以外では福岡、有田《ありた》、柳川《やながわ》、天ヶ瀬《あまがせ》温泉、由布院《ゆふいん》、別府《べっぷ》の計七カ所で撮影をしたが、南阿蘇鉄道はスタッフにとって最も心に残る場所となった。

「結婚したら家族を連れてここに来たい」

そう語った若いスタッフの一人は、その時の夢を一〇年後に実現させたという。

ところで、シリーズ第一回目として九州が選ばれた理由は二つあった。一つ目はなんといっても、韓国人にとっては九州が最も身近な海外旅行先であったこと。それに加え、もう一つは日本の「村おこし」から学ぼうという意図だった。

韓国では一九九五年から本格的な地方自治制度が始まり、メディアでは日本の先例がしきりに紹介されていた。番組プロデューサーである制作会社の社長は大分県の平松守彦前知事（一九七九〜二〇〇三年在職）が提唱した「一村一品運動」に注目し、ぜひ韓国の人々に紹介したいと言っていた。韓国人は常に「学ぶ」ことにこだわる。実際に、当時の日本を旅行した韓国人からも、「日本に行ってみて、本当に学ぶことが多いと思った」という感想をよく聞かされた。

†インバウンドの先駆け

今回の地震報道でも避難所に韓国人がいることが伝えられたが、九州を訪れる外国人の半数以上が韓国人である。その韓国人の数は年間約九〇万人（「国土交通省」調査、二〇一五年）で、たとえば昨年（二〇一五年）四月の統計では一か月で一〇万五三八人となっている。今年はもっと多いといわれていたので、地震が起こる直前までは、少なくとも一日平均三〇〇〇人超の韓国人が、九州の港や空港に降り立っていたといえる。さきに「南阿蘇鉄道の黒字に外国人観光客が貢献している」という記事を引用したが、この他にも年間九〇万人の韓国人が地域経済に影響を与えているはずだ。

実は韓国人の海外旅行の歴史はそれほど長くない。海外渡航自由化は民主化後の一九八九年である。長い間抑えられていた旅行熱は一気に吹き上がったのだが、それをいち早くキャッチしたのが、対岸の九州の自治体関係者だった。

彼らは全国に先駆けてソウルに出張所を開設し、観光客誘致に乗り出した。今や官民挙げて大騒ぎの「インバウンド」であるが、九州がそこに着目したのは早かった。私自身も「汽車に乗って世界旅行」の番組企画をもって各自治体や鉄道会社を回ったのだが、最も精力的に協力してくれたのがＪＲ九州だった。

ＪＲ九州は当時、一九九一年三月に博多―釜山《プサン》間で就航を開始した高速船「ビートルⅡ世」の営業のため、ソウルに一人だけ駐在員を置いていた。ＪＲグループが海外に駐在員を置くのは異例のことだったが、その人が番組のために奔走してくれた。

彼もそうだったが、当時の九州でインバウンド事業に携わる人はみんな熱かった。だから時には、まだ海外旅行に不慣れだった韓国人とぶつかりもしたし、頭を下げたこともあった。でも、頑張って交流を発展させた四半世紀の歴史、九州と韓国人の関係は特別である。

だから、今回の地震に際して、ネット上に韓国人に関するデマや中傷などがあがっているのにはとてもショックをうけた。それは韓国人を冒瀆《ぼうとく》するだけでなく、彼らを受け入れて地域経済を発展させてきた、九州の人々の努力をも無にする行為だと思う。

地震が続く中、東京オリンピックの開催を憂う声もあるが、それに加えてヘイトスピーチやデマの横行を放置すれば、インバウンド事業どころではないはずだ。

ブログなどを見ると、九州から韓国に戻れない人もまだいるようだ。ある人はオートバイでのツーリング中に大分で地震に遭遇し、熊本行きの予定を変更、宮崎から鹿児島に入った。オートバイで博多港に戻るためには、余震が続く九州中部を通らなければならず、躊躇しているという。

一刻も早く余震が止まり、人々が普通の生活に戻れるように、天に祈るだけである。

4　再び日本ブーム？

（二〇一六年八月一〇日）

†水道局のキムタク・ファン

七月の初旬、ソウル市の水道局に電話することがあった。口座引き落としという極めて事務的な案件だったのだが、私の名前を告げたら先方がハッとした。

「ひょっとして日本人ですか？」

「はい、日本人です」

「ひゃあぁ～。お話しできて嬉しいです！」

公務員はどこの国もそうだけど、それほど営業的ではない。韓国でも寡黙（無愛想）な人が多く、応対は事務的だ。たまたまこの日は彼の機嫌をよくする出来事があったのかもしれないと思いつつ、担当部署につないでもらい、普通に要件をすました。ところが、最後にもう一度冒頭の彼が電話口に登場してきた。

「実は僕、日本が好きなんです」

ポッと顔を赤らめたかどうかは、電話なので分からない。しかし、少しためらった後に、この男性はきっぱりと言った。

「キムラタクヤのファンなんです」

ドッカーン!! 頭の中で火山が噴火し、言葉につまった私。微妙な空気が流れる。脳裏に浮かんだのは、水道局の作業服を着た四〇代の韓国男性が、ニコニコしている様子。まずい……。

「そうですか。キムタクのファンでいらっしゃる。それは、どうも有り難うございます」

なんでお礼を言ったのか自分でもわからないが、ともかくそう言って、急いで電話を切った。

日本人ということで、余計な話をされることは、時々ある。最近も、健康保険の手続きに行った役所の窓口で箱根旅行の相談をされたが、しかし電話で、しかも木村拓哉というのは意外だった。

キムタクが韓国でブレイクしたのははるか昔、一九九〇年代である。あの頃は「女性は韓国のほうが綺麗だけど、男性はやっぱり日本だね」といわれ、その象徴が木村拓哉だった。書店の日本コーナーでは、彼のグラビアを掲載した雑誌が大人気だったけれど、うーん、またトレンドが戻ってきたのだろうか。今度は男性に。

†繰り返す「日本ブーム」

日韓関係というのは不思議なもので、常に「最悪」と「改善」を繰り返し、その過程で「ブーム」という現象も起こる。「韓流ブーム」は記憶に新しいが、一九九〇年から韓国で暮らしている私は、逆の「日本ブーム」も何度か経験してきた。

たとえば九〇年代初頭、民主化を成し遂げた韓国では、放送や出版業界がみんな日本の方を向いていた。新しいコンテンツを制作するために、とりあえず「日本」をお手本にする。局のディレクターや出版社社長、あるいはサムソンやヒュンダイなど財閥企業のエリートも、大挙して「日本詣で」をし、アイデアをかき集めていた。

「日本に二泊三日で行ってくれれば、企画書が一〇本書ける」

そう豪語した番組制作会社の社長もいた。

街には「日本」が氾濫していた。中には「パクリ」といわれるような粗悪品もあったが、本物の日本も友好的に迎えられていた。たとえば、それはキムタクであり、村上春樹だった。『ノルウェイの森』（韓国名『喪失の時代』）は、「大学新入生の必読書」といわれ、若者のバイブル的存在であった。

その後も、金大中政権による「日本の大衆文化開放」、ワールドカップ共同開催などを機に、大小の「日本ブーム」があった。そして今、その「波」が再び来ている？——というのは、私個人の印象ではない。三〇年来、現場でこの波をくぐってきた、日本語学校の関係者たちから聞いた話である。

†急増する日本語学習者

「驚きましたよ。突然、日本語学習者が増え始めたんです。すごいですよ、先生も教室も足りない状況です」

まさに「嬉しい悲鳴」をソウル市内の最大手「時事日本語学院」で聞いたのは、今年(二〇一六年)三月のことだ。この学校の顧問を務める金照雄《キムジョウン》さんは、一九九〇年代初頭からこの分野で活躍してきたエキスパートで、二五年にわたって定点観測を続けている。

「一月の登録者は前年比の約二倍です。その後も順調に推移している。ここ数年来、なかった現象です。長かった冬の時代も終わりを告げました！」

いささかオーバーな表現にも思えるが、瀕死の日本語業界にとって、やっと見えた光は眩しいのだろう。

以前より、韓国は世界で最も日本語学習者が多い国といわれてきた。日本政府が統計を取り始めた一九八〇年代から、中国にとって代わられる二〇一二年まで、ずっとトップの座を守り通してきた。常時八〇万人を超える日本語学習者の内訳は、中学や高校などで「第二外国語」として学ぶ生徒、日本語を履修する大学生、民間の「外国語教室」（韓国では「外国語学院」という）に通う大人である。

韓国の「外国語学院」は一か月単位の登録制のため、外国語ごとの人気度は月々の登録者数の形ではっきりと表われる。その数字が、今年一月に昨年同時期の約二倍に達したというのだ。

「しかも、その多くが初級なんです。つまり、ここにきて初めて日本語をやってみようという人が増えている。これはすごいことです」

顧問によれば、東日本大震災で日本語学習者が落ち込んで以来、その回復は難しかったという。代わりに中国語人気が高まり、日本語学校の中には中国語クラスを開設するところもあった。それが今年になって一挙に好転したということは、日韓関係もよくなったということだろうか。昨年末の慰安婦問題での政府間合意も影響しているのだろうか。

「そこは、どうでしょう？　日本語学習者が増えている原因は、政治的なことだけではないと思いますよ。実はうちの学校の場合でも、過去にないような変化がでているのです」

5　なぜ日本語学習者が急増したか

（二〇一六年八月一八日）

†日本語学校の異変

二〇一六年になって急増したという日本語学校の受講者だが、ちょっと不思議な現象もあるという。前節にも登場していただいた日本語学校顧問の話だ。

「今まで、日本語学校で人気だったのは、早朝と夜のクラスでした。それが、なんと最近は午後のクラスで受講者が急増しているのですよ」

英会話教室をはじめ、韓国の民間の語学学校はサラリーマンや大学生のスキルアップ目的がほとんだ。外国語は大部分の企業で就職や昇給の条件となっているため、就職した後でも語学学校に通う人は多い。したがって、受講生が集中するのは、始業前にあたる早朝六時三〇分〜八時三〇分、そして退社後である午後六時以降のクラスとなる。ところが今は、午後二時から六時までの午後のクラスに受講生が集まっているというのだ。

「折からの日本旅行ブームで、時間のある主婦が日本語を習いに行くのでしょうか?」

「午前中のクラスにはそういう人もいました。でも、午後のクラスは違います。みんなね、若い人たちなんです」

へえー、そうなのか。その時間帯に語学学校に通える若者とは、つまり学生なのだろう。

「そうです。特に高校生が増えている。この子たちの目的は日本の大学への進学です。日本で大学卒業生の就職率は九七パーセントですね。韓国の若者はこの数字を見て感動したのです。そんなに素晴らしい国があるのかと」

†日本の就職市場がまぶしい

九七パーセントという数字は就職希望者に対する実際に就職した学生の割合で、今年(二〇一六年)四月基準の最新の数字だが、統計を取り始めてから過去最高だという(全卒業生の就職率は七五パーセント)。

五月に日本でこの数字が発表されるや、韓国のメディアも即日報道、大きな話題となった。

「日本は就職天国? 大卒就職率九七・三パーセント〝過去最高値〟」(『聯合ニュース』二〇一六年五月二〇日)

以前より「日本の就職率の良さ」は韓国で話題になっており、たとえば中央日報は三月に「雇用市場が大きく開かれた日本の若者がうらやましい」というタイトルの社説を掲載しており、そこには「韓国の大卒就職率は六〇パーセント台」という記述もある。

「でも、数字だけで判断するのはどうでしょう？　就職できればいいという問題じゃないわけだし。ブラックな会社も多いですよ」と反論もしてみる、が、韓国の大学生にとって「九七パーセント」という数字はまぶしく、日本に行けば何かしらのチャンスがあると思うようだ。

「日本に行った連中が戻ってこないというのもあります。日本で就職した韓国人がみんな大満足しているわけではないでしょうが、すぐに韓国に戻るほど失望もしていない」

だからといって金顧問は、日本での就職を手放しで勧めようとは思わないそうだ。日本の会社文化は独特なので、韓国人には馴染みにくいだろうという。しかし、一方では、大学教授などが率先して、日本での就職を勧める場合もある。

「実際、もう韓国ではいい就職先など望めないのですよ。だから私は学生たちに日本を狙えと言い続けています」

韓国南部にある大学の日本語学科教授は言い切った。また、つい先日には、日本のある会社が外国語ができるスタッフを募集したところ、日本では条件の合う人を見つけられず、韓国人をリクルートしたという。

「ソウルの知り合いにお願いしたら、わずか三日間のうちにクチコミで三〇名来ました。面接をして五名選んだのですが、みんな日本語も英語も上手。頼もしいです」

高スペックな韓国人を歓迎する日本企業も増えているのだ。

○追記

その後も韓国の日本語学習者の数は高水準をキープしていた。特に日本留学をめざす高校生は右肩上がり。韓国における日本留学生試験の志願者数も二〇一六年の秋に二三六八名だったのが、二〇一九年には五一二一名と倍増している。ただし金顧問によると、それ以外の学習者は二〇一九年七月の「日本による輸出管理強化」以降、激減してしまったそうだ。

6　大杉漣さんが見ていた美しいソウルの空

（二〇一八年三月二二日）

†二〇一一年ソウルの「沈黙」

大杉漣《おおすぎれん》さんが出演した「アナザースカイ」（日本テレビ系）を見た。ゲストが「海外にある、第二の故郷」を紹介するという番組だ。見ながら、私はとても大きな誤解をしていたことに気づいた。そのことを書きたいと思う。

番組のことを知ったのは、二月二一日、大杉さんの訃報に接した日だった。

「今、ツイッターの速報で見たのだけど」

メッセンジャーの向こうの友人、木村典子さんは絶句した。しばらくして、彼女から電話がかかってきて、意外なことを聞いた。

「実はね、ちょっと前に大杉さんのことで問い合わせがあったの。大杉さんがテレビ番組で再訪したい国に韓国を選んだのだけど、レストランの名前が思い出せないと。それで木村さん、知らないかって」

大杉さんが韓国を？　私たちはとても驚いた。だって、あの時、大杉さんは怒っていたではないか。

大杉さんは二〇一一年に日韓共同制作の演劇『砂の駅』公演のため、一か月間ほど韓国で暮らしていた。『砂の駅』は「転形劇場《てんけい》」（一九六八〜八八年）を率いた劇作家・太田省吾の遺作である。台詞をすべて排除した沈黙劇、その中でも有名な駅シリーズの一つだった。公演には大杉漣の他にも品川徹や鈴木理江子といった元劇団員、さらに初演作品に出演した舞踏家の上杉満代《みつよ》も参加した。

日韓共同制作の発案者は韓国の演出家キム・アラさんだった。彼女はその前々年度にも同じく太田作品である『水の駅』『風の駅』を手がけていた。韓国側の出演者はベテラン俳優のペク・ソンヒ、クォン・ソンドク、そして韓国における太田作品の常連であるナム・ミョンニョルと、豪華キャストだった。

太田省吾を知る日韓の人々が集まり、彼のオマージュ作品を作る。セリフのない沈黙劇は、言葉の問題もなく、共同公演に最適だと思った。木村典子さんも生前の太田さんと一緒に韓国で『更地』（太田省吾作・演出）のプロデュース公演を手がけており、その縁もあって日本から韓国に来た出演者のお世話などをしていた。

稽古の期間は約一か月だった。忙しい人々がよく日本を空けられたものだと、その「長さ」に少し驚いた記憶がある。

ところで、その稽古はとても大変なものだった。国をまたいだ共同作業は意志の疎通に時間がかかり、揉め事も多いのが常だ。言語の問題以上に、仕事のやり方の違いが誤解や不信を招く。でも、ともに時間を重ねることで、お互いの中に妥協や共感が生まれていく。ところが、この時の現場はいつもとは逆だった。やればやるほど離れていく。一か月近くの稽古期間はお互いを近づけるのではなく、むしろ亀裂を深めた。

「現場に行くのも気が重くて……。漣さんたちも大変だと思うよ」

かつて韓国で暮らし、日韓の演劇交流では長いキャリアをもつ木村さんが弱音を吐くほどだった。深まった亀裂はとっくに大きく割れてしまい、尖《とが》った破片はさらにバラバラに砕けていく。

最悪の初日だ、と思った。普段の初日の、あのピーンと張り詰めた空気とは違う、刺さるような緊張が小屋に充満していた。しかも、沈黙劇には台詞がない。言葉で合意を作り出すこともできないまま、カタルシスを一切拒否した舞台が進行し、終わっていった。この日、演出家と日韓の役者たちは初日の打ち上げを一緒にせず、バラバラに食事に行った。幕が降りた後も、沈黙が続いていた。

†三〇年前のソウル公演

だから、大杉さんが「アナザースカイ」に韓国を選んだというのが、信じられなかった。番組スタッフが、彼の思い出にある「大学路《テハンロ》の焼肉屋」を探していたと聞いても、それはレストランだけの話で、番組の中心はその後に大杉さんが出演した韓国映画の方だと思っていた。二〇一五年に大杉漣は韓国映画『隻眼《せきがん》の虎』（パク・フンジョン監督）に出演しており、そちらは和気あいあいと撮影が進行したと聞いていた。

ところが番組は映画ではなく、『砂の駅』をど真ん中にしており、キム・アラさんまで出演していた。それを見ながら私は自分がとても大きな誤解をしていたことに気づいた。

忙しい人が一か月も日本をあけて、芝居の稽古に専念する。

「太田先生のために、漣さんは頑張ってるんだよね」という話を、当時、木村さんともしたと思う。でも、それだけじゃなかったのだ。大杉漣は根っからの役者で、自分が演劇をしたかった。『砂の駅』の舞台に立つということが、本当に嬉しかったのだ。

番組の中では、一九八八年のソウル公演についても、触れられていた。

「いつもの海外公演なら、貧乏旅行ながらみんなでワイワイ飲みに行ったりするのですが、あの時はそれもなかったと思うんですよ。ただ、じっと出番を待っていた」

実はその時、劇団の解散が決まっていたのだという。

一九八八年の『水の駅』（太田省吾作・演出）公演は、その後も演劇関係者の間で語り継がれる「伝説の舞台」となった。当時の韓国はまだ日本文化開放前であり、映画や歌謡曲はもとより演劇やダンスの公演にも厳しい制限があった。一九七二年に無許可で行われた「状況劇場」の『二都物語』（唐十郎作・演出）、一九八六年にアジア大会の記念行事として公式公演となった劇団SCOTの『トロイアの女』（鈴木忠志作・演出）、それに続いたのが、一九八八年にソウルオリンピックの記念公演として特別に許可された『水の駅』。これに衝撃をうけた韓国の演劇人はとても多く、キム・アラさんもその一人だった。

その「伝説の舞台」が、大杉さんらにとってはまったく別の重い記憶となった。そして三〇年後の今、大杉さんがテレビカメラを見据えてはっきり言ったことに、私は息が止まりそうになるほど驚いた。

「劇団が解散しなかったら、正直、僕は今も舞台をやっていたと思う」

†アナザースカイ——それぞれの空

韓国にも大杉漣のファンは多い。北野武映画の印象が強く、映画俳優として独特の個性が評価されている。だから日本と同じく、若い人々は彼がどれほど長い時間、どれほど真剣に沈黙劇に向き合ったかを知らない。メディアの報道で、映画以前の彼の時間は「長い下積み時代」と語られることが多い。でも、それは間違いだ。大杉さんにとって舞台とは、「下積み」とか「次へのステップ」などではまったくなかった。

「アナザースカイ」という番組は、大杉さん自身が、改めてそれを語った番組だった。その背景に七年前と、三〇年前の二つのソウル公演があった。

「劇団が解散しなかったら……」「僕は正直言って、この舞台をもっと日本の若い人に見てほしいと思っていました」

つまり「転形劇場」は解散してしまったが、彼はずっと「転形の役者」であり、七年前の韓国公演は「久しぶりの出番」だった。また沈黙劇の舞台に立つ。しかも解散を聞いたあの韓国で。どれだけ、大杉さんがそれに胸をはずませていたことか。

あの時、私たちはいつものように韓国側制作陣のずさんさに怒り、韓国人演出家の過剰な意図に憤り、寡黙な漣さんに同情した。でも、大杉漣の見ていた空は、もっと、もっと高かった。「アナザースカイ」という番組を見たのは初めてだったが、なんといいテーマなのだろう。番組のおかげで、私たちはあの時、漣さんが見ていた空を見ることができた。それはまさにアナザースカイ、私が見たのとはまったく別の、美しいソウルの空だった。

「番組で漣さんの話を聞いて、やっと私の『砂の駅』も幕を下ろすことができた。最後はペク先生のお墓にも行ってくれて、涙が止まらなかった」

木村さんによれば、当初、キャスティングになかったペク・ソンヒさんの起用に関しても、いろいろあったそうだ。

「大杉さんとは本当に何度も何度も衝突しました」

衝突の相手であるキム・アラさんと大杉さんが、七年後のソウルでにこやかに話していた。素晴らしい笑顔で。

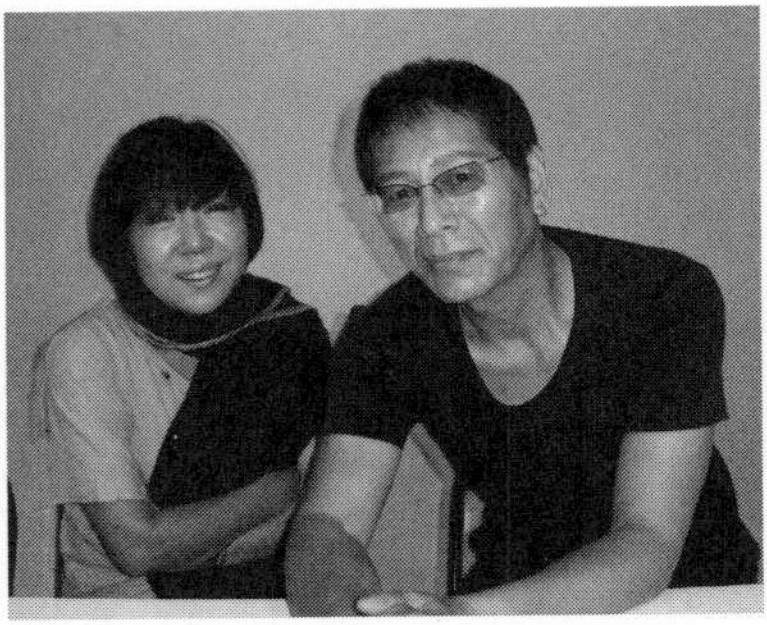
大杉漣さんとキム・アラさん（2011年9月、提供：朝日新聞社）

実はあの時も、あんな笑顔を見たのだ。七年前の公演の初日、重い空気が流れる劇場で、一人にこやかに客席から舞台を見つめていた人がいた。太田省吾の妻、美津子さんだった。

「素晴らしい舞台でしたね。太田も喜んでいると思います」

泣きながら微笑む美津子さんに、その時は素直に応えられなかった。今やっと、私は美津子さんの嬉しさがわかった。大杉さんのおかげだ。大杉さんと一緒に「アナザースカイ」を見たかった。そして、もう一度、それぞれのソウルの空を見たかった。合掌。

7　嫌韓疲れと『中くらいの友だち』――対立を砕き、共感の欠片を集めよう

（二〇一九年一月一〇日）

†親父同士が対立しているが

二〇一八年一二月下旬、韓国から日本の実家に帰省した。中部国際空港から名古屋市内に向かう電車で、向かいの席に韓国人の若い男女が座った。ものすごく楽しそうだ。二人でスマホを覗きこみ、車内の路線図を確認し、満足そうに微笑み合っている。車窓に映る知多半島の穏やかな地形、沿線の風景を指さしながら、興味深そうに話している。週末を利用した短い旅行なのだろう、荷物も少なく身軽な様子だ。

ともかく、ホッとしていると思う。混まない電車にも、ローカルな沿線風景にも、そして何よりも、思いっきり呼吸ができることに。今、ソウルは大気汚染がひどく、目もまともに開けていられない日がある。そこから解放されるだけでも、海外旅行は嬉しいと思う。

私自身がホッとしたのは、この電車には吊り広告がなかったことだ。韓国に攻撃的だっ

たり韓国人を侮蔑《ぶべつ》するような見出しの雑誌広告が、首都圏の鉄道ではおなじみである。それが、ここにはない。

近年、韓国人にとって日本は、最も人気の旅行先である。一度行けばまた行きたくなる。リピーターは東京・大阪・福岡という入門編の後に、地方都市に向かう。北海道、沖縄はもちろん、名古屋、松山、富山……、ソウルから直行便が飛ぶところは、すべてが対象だ。「先日、部署全員で休みをとって、四国に行ってきました。うどんを食べて、温泉入って。ものすごく楽しかった！」

ソウルでアパレル関係の仕事をする友人の話だ。部署全員で休みとは大胆で羨ましい。が、それぐらいしないともたないほど、韓国社会もストレスフルでしんどい。息抜きなら東京より地方がいい。日本の地方都市のインバウンドにとっても、願ってもない話だ。日韓双方の利害は一致している。

そして二〇一九年新年早々のビッグニュース。大阪市に住む小学四年生の仲邑菫《なかむらすみれ》さんが、今年四月に史上最年少の一〇歳で囲碁のプロ棋士になるという。日本では、彼女の愛くるしい表情と指し手としての恐るべき実力が話題となっているが、ところで彼女は「韓国留学組」だ。韓国のプロ棋士の指導を受けるため七歳から韓国に通い、昨年は韓国に短期留学。韓国棋院での研究生リーグに入り、昇級も果たした。韓国語も両親の通訳ができるほど流暢だという。

「日韓関係は最悪」と言われて久しいが、それは政治外交の話だ。一般国民の動きとしては、うまく連動していることが多い。隣家の親父同士が対立しても、妻たちは情報を分け合い、子供同士は仲良く遊んでいいと思う。レーダー照射問題での日韓政府の応酬にしても、まずは〝当事者同士〟で話し合ってほしい。いきなり世論を巻き込まないでくれと思う。

†なぜ『中くらいの友だち』？

それにしても韓国の二〇一八年は大変な年だった。前半は南北、米朝首脳会談などの「明るいニュース」が続いたが、後半に入り畳み掛けるように「徴用工判決」、「レーダー照射問題」が報じられ、日韓両国の間には一気に暗雲が立ち籠《こ》めた。勇み足で声明を発表する日本政府、攻撃的になる一部マスコミ、フェイクと侮蔑が闊歩《かっぽ》するネットメディア。「いくらなんでもひどすぎる。大好きだった日本が、もう嫌になってきた」

ビジネスで日本に滞在する韓国人の友人の発言を聞き、焦燥感に駆られる。そんな荒れる日韓関係の中、『中くらいの友だち——韓くに手帖』の四号を発行した。

この同人雑誌を創刊したのは二〇一七年四月のことだ。タイトルの「中くらいの友だ

『中くらいの友だち』創刊号。2020年３月現在、６号まで発行（発行：皓星社）

ち」というのは、最高でもなく最低でもない、まさに「中くらい」。時にはとてもカッコイイこともあるが、こいつダメかも……という情けない面もある。でも、長く付き合えば、まあ、イイやつだよ、そんな普通の友だちとしての韓国とつきあいましょうという趣旨だ。

タイトルを決めたのは、東京・四谷《よつや》の焼肉屋だった。在京メンバーである絵本作家の南《みなみ》椌椌《くうくう》さん、翻訳家の斎藤真理子さんと共通の友だちの話をしていた。「あいつはサイテーでさあ」「でもイイところあるんだよ」「友だちとしては、まあ、中くらいかな（笑）」「それ、タイトルにしようよ、中くらいの友だち」

さっそく、ソウルのメンバーである雨乃日珈琲店の清水博之さんに言ってみた。

「いいですね。すごいいいと思います！」

ということでタイトルも決まった。執筆者は韓国在住の日本人や在日韓国人、あるいは仕事などで日韓に長く関わっていた人々など。プロのライターや翻訳家もいれば、ミュージシャンや舞踊家、あるいは料理研究家など、さまざまな分野の面白い人たちが参加している。

†対立を砕き、共感のかけらを集めよう

創刊の目的はいくつかあるのだが、まずは「日韓関係が悪くても、在韓日本人は普通に楽しく暮らしているよ」というのを、現場から届けたかった。日本には韓国を「反日国家」と決めつけて、在韓日本人は反日感情に怯えて暮らしているみたいなイメージを煽る人もいる。それを笑い飛ばしてしまいたかった。

それに関連して、多くのメディアが「嫌韓ネタ」ばかりをほしがることもストレスだった。たとえば韓国に対するちょっとしたツッコミを入れた原稿にも、出版社がひどい嫌韓タイトルをつけようとしたこともあった。

「そんな内容ではないんですが……」

「それはわかっているんですが、タイトルが扇情的でないと売れないんですよ」

身も蓋もない話に呆れて、原稿を引っ込めたこともある。普通の韓国関連記事を書きたいのに、その場所がない。ならば、自分たちで雑誌を作ってしまおうと思った。売らんがためではなく、書きたいものを載せるためには、同人誌という形がいいだろう。

そして、重要なのは、ネットではなく紙の本を作ることだった。ネットだと記事の一部

が切り取られ、全体が見えなくなることが多い。それに紙の方が時間を大切に、ゆっくり自分と向き合えるのではないか。映画館で映画を見るような、そんな贅沢な時間を紙の本はくれるかもしれない。

「韓国を楽しみ、味わい、語り合う。対立を砕いて共感のかけらを集めましょう。驚きと笑いを肥やしに、中くらいを極めます。世界中が対立的になっていく中、私たちは友だちを大切にしたいと思います」(「創刊の言葉」より)

売り言葉に買い言葉的なネットの議論。日韓メディアの煽りあい。親父はうるさいことばかり言うけど、でも隣家の子供たちと遊ぶのはワクワクする。二〇一九年も、韓国の友だちと楽しくやりたいと思っている。

8　『82年生まれ、キム・ジヨン』と柳川のさげもん

（書き下ろし）

†ある女友だちのこと

韓国で空前の大ベストセラーとなった『82年生まれ、キム・ジヨン』、その日本語版の解説を書いてほしいと依頼されたときには本当に驚いた。文学、しかもフェミニズム文学の解説を私が？　人から頼まれたことは断らない主義だが、これはちょっと無理かもしれない。ところが依頼者（翻訳者）は「あなたがいいのよ、あなたでなければだめなのよ」と攻めてくる。

「書いてほしいのはフェミニズム文学のことではなく、その背景の韓国社会のことだから」

そうなのか。ならばちょっと待ってくださいよと、さっそく釜山にある最寄りの書店に行ってみたら、目立つ所にフェミニズムコーナーができていた。なんだか元気いっぱい。

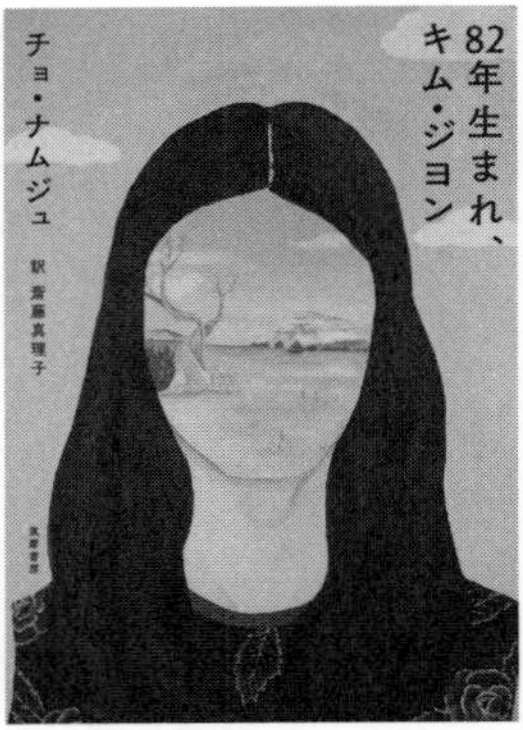

『82年生まれ、キム・ジヨン』日本語版（筑摩書房）

そのトップに『82年生まれ……』は君臨していた。もっとも、韓国版のジャケットは地味なグレーで、かなり控えめな風情だ。その周辺の本も合わせて一〇冊ほど買って一気に読んだ。『82年生まれ……』を読みながら三人の女性を思い出した。一人はこの本の日本語版翻訳者であり友人の斎藤真理子、もう一人は私の母、そしてもう一人はキル・ウンジョンという韓国人の友人だ。斎藤さんと母のことは解説の中でふれたので、ここではキルさんのことを書こうと思う。

日本の女の子が羨ましい？

キルさんに出会ったのは一九九三年、私が延世大学の外国語学堂で日本語講師をしていた時だ。その頃の韓国では日本語のネイティブ講師がいる語学学校は限られていたため、受講生の中には結構ハイクラスな人もいた。その中でもキルさんは特別だった。彼女は有名な芸能人であり、しかもクラスで一番勉強熱心だった。毎日の宿題も完璧にしてくる。特に他の学生よりも漢字がよくできた。

「小さい頃、父が千字文《せんじもん》（漢字習得や書の手本に使われる長篇の漢詩）を教えてくれたんです。おまえは女だけど賢いからと、よく言われて……」

その時は教師と生徒の関係だったが、数年後にひょんなところで再会した。私の転職先の番組制作会社に彼女が現れたのだ。

「イットー先生ですか！　アイゴー、お久しぶりです」

懐かしい彼女の日本語。なんという偶然！　キルさんは番組レポーターとして、私たちと一緒に日本ロケに行くことになったのだ。さらに彼女と私は偶然にも同じ年だったので、一気に「友だち」になった。韓国で「トンガブ」（同じ年）はそれだけで特別な関係だ。

九州を巡る旅番組だった。私以外の撮影クルーは全て韓国人でみんな「初めての日本」、行く先々で歓声が上った。博多人形の工房では「職人の繊細な作業に震えた」とカメラマンが言い、有田の丘では「陶祖李参平《りさんぺい》」に皆が思いを馳せた。そして柳川へ、折しもひな祭りが行われていた。美しい「さげもん」を撮影しながら掘割を舟で進み、最終地点の柳川藩主立花《たちばな》邸「御花《おはな》」に到着した。

圧巻の雛人形に興奮する撮影クルー、そこでレポーターのコメントというところで、なんとキルさんは泣き出してしまった。

「日本では、こんなに女の子が大事にされてきたんですね……」

私は『82年生まれ……』の解説を書きながら、この時の彼女のことを何度も何度も思い出した。

「私が子どもの頃の韓国は、女の子が生まれたら、その日はもうお通夜みたいだったんです。誰もお祝いなどしてくれなかった」

一九六一年生まれのキル・ウンジョンは、「キム・ジョン」よりも上の世代だ。大学歌謡祭出身の歌手として芸能界デビュー、ラジオのDJやバラエティの司会などで大活躍した彼女は、三〇歳を過ぎた頃から日本語を学び始めた。そうしてシリーズのレポーターに抜擢された。ものすごい、がんばり屋さんだった。

†旧暦三月の柳川――母や祖母たちのからエール

『82年生まれ……』には韓国における女性差別の実態が赤裸々に綴られている。韓国小説としては日本でも異例のヒットとなり、読者から「日本でも同じことがある。キム・ジョンは私」という共感が多く寄せられたそうだ。一方で、「でも女の子だからと、生まれることすら許されなかったというのは驚きだった。日本の八二年生まれにそこまでの経験はない」という感想もあったという。

小説の中で主人公の母親は、二人目の女の子を産んだ時に「お義母さん、申し訳ありません」と姑に頭を下げ、三人目の女の子は中絶してしまう。その頃の韓国では女児の中絶が蔓延し、男女の出生比が著しく不均衡になっていた。儒教社会の男尊女卑は強烈だった。

そんな韓国から来た女性が、今から二〇年ほど前の柳川で、日本女性が羨ましいと泣いた。その時、私はどんな話をしたのだろう。ひな壇に並んだ嫁入り道具を指差しながら、「でも日本女性も同じ。役割はこの時から決まっていた」と言ったのだろうか。「それでも、少しでも幸せにと、さげもんは祖母や母たちの祈りなのだ」と話したのだろうか。

それは同じなのだ。『82年生まれ……』にも祖母や母からの祈りが込められており、それは国籍を超えてアジアの女性たちへのエールとなっている。

書きながら、柳川に行きたくなった。ひな壇に置かれた小さな手作り布団に目を細めていたキルさんを思い出す。旧暦の三月、柳川に行けば先に逝った彼女に会えるような気がする。

9　日韓をつないで五〇年、関釜フェリーは今

（二〇一九年一一月一日）

†驚きの関釜フェリー

一〇月の初め、下関の大学の行事に招かれたついでに、初めて関釜《かんぷ》フェリーに乗った。

「え、乗ったことないんですか？　一番歴史が古い日韓航路なのに。信じられません」

この三〇年あまり幾度となく日韓を往復し、飛行機だけなくフェリーも大阪港や博多港から何度も乗ったのに、なぜか下関港だけは利用したことがなかった。

「ぜひ、乗ってくださいよ。釜山はすぐそこです」

地元の人々の強力な推しで、「じゃあ」とすぐその気になった。船舶会社に電話して「当日なんですが、席はありますか」と聞いたら、「大丈夫だから一八時半までに来てください」と言う。念のために乗船開始時間を聞いたら、一八時半だという。ならば、もっと早く行かなければだめでしょう、と、その時までは思っていた。フェリー乗り場のカオス

を思い出したからだ。

それは、一九九〇年代の終わりのことだった。仁川から中国の威海に向かう船。乗船場は大勢の人と大量の荷物であふれかえっていた。まだ乗船開始時刻まで一時間もあるというのに、搭乗口には手続きを終えた人々の長い行列ができ、怒号が飛び交っていた。「一列に並んでください。割り込みはしないでください」と、係員たちは声をからして叫んでいた。

指定席なのにどうして並ぶの？　という謎は、乗船してすぐに解けた。定員五〇〇名以上の大型客船の甲板は荷物の山。段ボール、風呂敷、キャスター付きバッグで、まさに足の踏み場もない。中には、すでにブルーシートを広げて唐辛子を干している人もいた。

韓国語では「ポッタリ」（風呂敷包という意味）、日本語では「担《かつ》ぎ屋《や》」というのだろうか。フェリーの利用客の多くは一般観光客ではなく、二国間を行き来して商いをする人たちだった。家電製品から農産物まで、皆その荷物置き場を確保するために我先にと船に乗り込もうとしていたのだ。

この時、私が乗ったのは中韓航路だったが、同じ頃に下関に帰る友人を見送った釜山港も同じだった。段ボールを持った中高年女性たちの熱気を前にして怖気づく友人を、「荷物がない人は最後に乗れば大丈夫だから」と励ました。あれからちょうど二〇年、関釜フェリーはどうなっているのか？

†一人ぼっちの大部屋

JR下関駅から歩道橋を歩いて行くと、そのままフェリー乗り場に着く。徒歩わずか五分。港はまさに街の中心にあり、そこから毎日韓国行きのフェリーが出ている。あらためて、日本と韓国の近さを実感する。ところで、その下関港国際ターミナルのビルに入って驚いた。

今日は休みなのだろうか？

そんなはずはない、朝、電話で確認したばかりだ。それにしてはあまりにひと気がない。場所を間違えたのかと思ったが、二階に上がると切符売り場があり、そこでパスポートを見せたら、あっという間に乗船券が買えた。一八時半からの乗船にはまだ一時間ほどあったので、周辺を見て回ったのだが、とにかく人がいない。ソファで寝ている人が一人、外で煙草を吸っている人が二人。やがて乗船時間が来たので、船に乗り込んだのだが、そこでもまた驚いた。

船室に人がいない。

私は人の話を聞くのが好きなので、フェリーは大部屋、ゲストハウスはドミトリーの方が好きだ。もちろん安いのも魅力だし。なのでこの時も、二等船室の大部屋を希望したのだが、なんと一人ぼっち。期せずして、個室になってしまったのだ。カフェや甲板に出てみるが日本人の中年夫婦がいるだけ。いろいろ回ってみたが、ウロウロしているのは一〇人ぐらい？

そうだ、お風呂に行けばポッタリの人たちがいるかもしれない。彼女たちは乗船したらすぐ、船が動く前に一番風呂に入る。予想通り、お風呂には人がいた。五名ぐらい？

全体的にガラガラの船、定員約五〇〇名の船の乗船率は一割をはるかに切っているだろう。八月に入ってから韓国人観光客が激減しているのを知ってはいたが、現実はさらに衝撃的だった。それにこの港は特別なのだ。冒頭にも書いたように最も歴史ある日韓の航路なのである。

法務省の出入国管理統計によれば、今年（二〇一九年）八月の下関港の外国人入国数は二〇七九人とある。これは前年の五五三二人に比べて半分以下の数字だ。ちなみに日本人の出国数は一七九〇人（二〇一八年）→一三六六人（二〇一九年）と落ちてはいるものの、韓国人ほどの激減ではない。

日本が韓国を「ホワイト国」から除外することを閣議決定したのが八月二日、ここから韓国で日本製品不買運動が広がり、日本旅行のキャンセルも始まった。そして九月の下関港の入国外国人数は一一八六人、前年の四八五五人の四分の一以下にまで落ち込んでいる(速報値)。

†関釜フェリーの歴史

下関と釜山の間に航路が開設されたのは一九〇五年である。その後、日本の植民地時代には双方の人々がこの航路を使って行き来した。開拓や勉学の希望や野心を、また国策に蹂躪された労働者や軍人の悲哀や絶望を、「関釜連絡船」は乗せていた。

日本の敗戦により途絶えた航路が復活したのは、一九六五年の日韓条約批准から四年後の一九六九年(通常の定期営業の開始は翌年六月、本章扉写真参照)である。今年はその五〇周年にあたる。

初期の利用者は在日韓国人の故郷訪問が多かった(そこにはわずかながらも、韓国に生まれ故郷をもつ日本人も含まれていたという)。在日韓国人は故郷の親戚たちに、たくさんの日本土産を持参した。当時はまだ日韓の経済格差が大きかった頃で、「先進国・日本」から持ち込まれる製品は、韓国で大人気となった。やがて、それを生業《なりわい》とする人々が現れた。人気映画の舞台ともなった釜山の「国際市場」の一角には、そうやって持ち込まれた日本製品ばかりを売る一角が今も残る。

「ポッタリ」も初期は両国を自由に行き来できる在日韓国人が多かった。やがて韓国人の海外旅行が自由化されると、彼らもそれに加わるようになった。女性が多かった。一家を支えるために、毎日、船に乗る人たちもいた。女性たちは友だちになっていった。

二〇〇〇年代の半ばになると韓国は経済発展を遂げ、日本製品に対する羨望も過去のものとなりつつあった。誰もが欲しがった象印《ぞうじるし》の電子ジャーも、サムスン製の圧力炊飯器のパワーに影を薄くしてしまった。同時に、女性たちの働き方も変わってきた。大手デパートやスーパーなども好条件でパート女性を採用するようになり、船に乗る必要などなくなった。

「もう、おばあちゃんの趣味ですよ。お金にはならないけど、船に乗らないと認知症になるというから」

一〇年ほど前に、娘さんから話を聞いたことがあった。

たしかにもう、船で荷物を運んでも、お金にはならないだろう。そもそも今や日本製品は正規ルートでいくらでも入るようになっている。ただ、その礎《いしずえ》を作ったのは彼女たちだったのだとあらためて思う。「メイド・イン・ジャパン」の威光をせっせと運んでくれたのだ。

彼女たちが少なくなった後の船室を埋めたのは、韓国人の一般観光客だった。いちばん近い外国、初めての外国旅行で、関釜フェリーに乗った人はとても多い。

法務省出入国在留管理庁のホームページには二〇〇六年度から毎年、港や空港ごとの外国人入国者数が公開されている。それによると、毎年約八万人、多い年では一〇万人を超える外国人が下関港から日本に入国している。そして、その九九パーセントが韓国人である。ちなみに昨年(二〇一八年)下関港から入国した外国人は七万八七九一人、うち韓国人は七万七八四二人である。

今年はどうなるのか? これからはどうなるのだろう? ここにきて、歴史ある関釜フェリーのことが心配になっている。ところで、下関のフェリー乗り場近くで、見慣れた顔のポスターを見て少し驚いた。ここ山口四区は安倍晋三首相の選挙区だったのだ。地元のインバウンドと経済活性化のためにも、ぜひ、なんとかしてほしい。

○追記
外国人入国者について、二〇一九年の年間統計はまだ発表されていない。一二月の速報値をみると、下関港の入国外国人は二〇六三名、二〇一八年一二月の六七二五名の三分の一以下となっている。この下関以上に落ち込みが激しいのがさらに韓国に近い対馬で、二〇一八年一二月三万七一五七名だったのが四二一三名、大きな影響が出ている。

おわりに

二〇二〇年の旧正月を明けた韓国、大きな話題は新型コロナウィルスだ。初期段階から政府や国民に緊張感があるのは、MERS（マーズ）の痛恨の記憶によるだろう。

二〇一五年の夏、韓国社会がパニック状態となった最大の原因は、情報公開がきちんとされなかったことだった。それが前年のセウォル号事故の記憶と重なり、政府やメディアへの不信につながった。SNSを通して流れてくる「断片的な情報」を、ある人は「真実」といい、ある人は「デマ」といった。

経済活動が麻痺するほどの混乱が収拾し、最終的な終息宣言が出されたのは年末。明けて二〇一六年四月には国会議員選挙があり、そこで政権与党は大敗する。韓国の国会は一院制で任期四年、日本のような解散はないため、四年ごとに同じ時期の選挙となる。次の選挙が今年、二〇二〇年の四月だ。

新型コロナウィルスと国会議員選挙という不思議な巡り合わせに妙な気分になる。

そもそも不思議といえば、四年前の選挙がそうだった。直前まで朴槿恵大統領の与党「セヌリ党（現・自由韓国党）」の圧勝といわれていたのが、まさかの大敗北。予想された過半数確保はおろか、議席数で野党「共に民主党」にも負けてしまった。さらにもう一つの野党「国民の党」も善戦し国会は与野党逆転でねじれ状態、年末の大統領弾劾への道すじは、この時につけられたともいえる。しかしメディアも世論調査もこの結果をまったく予測できなかった。政党支持率は選挙戦直前の三月末でも与党が三八・三パーセント、第一野党は二四・九パーセントにすぎなかったのだ。

韓国の選挙には魔物がいると思うことは多い。今回はどうなるのか？　文在寅政権に対して、国民はどんな判断を下すのだろう？　文大統領としては、まずは新型コロナウィルスに真摯に向き合わなければならない。その一方で国民の最大関心事である検察問題、さらに不動産や若者の就業問題など懸案は山積みだ。その「若者の支持」を獲得するため、各党共に二〇代の候補者擁立を目論んでいるものの、すでに一人がMe Too告発で立候補を取り下げるなど、初動から波乱含みとなっている。さらにこれを書いている今、第二野党「正しい未来党」から安哲秀氏が離党というニュース、全てがまだ五里霧中の状態である。

それでも一応の参考にと、最新の世論調査（一月三〇日リアルメーター）を確認したら、与党「共に民主党」の支持率が三八・四パーセント、最大野党「自由韓国党」が二九・八パーセントって、なんだかね……。先に記した四年前の数字とそっくり？　でも、まだ投票日まで日数があるし、そもそも今の「自由韓国党」のセンスでは、文政権に批判的な層からの広範な支持を得るのは難しいだろう。

「文政権も嫌だけど、自由韓国党はもっと嫌」という人々の中で、二大政党以外に期待する声も大きくなっている。とくに今回から導入される新制度（「準連動型比例代表制」）は、小政党に間口を広げるともいわれている。新党創立の動きは活発だが、はたしてその斬新で柔軟な思考に、活動の場は与えられるだろうか？

韓国に関心のある方は、ぜひこの四月に注目してほしい。文在寅大統領が理想とする「公平で公正な社会」の実現に向けて、このまま韓国政府は茨《いばら》の道をかき分けていけるのか。万が一、道が間違っていると判断された場合、そこから新たな道を拓いていけるのか。

日本人はそこから学ぶべきことがあると思う。彼らはすでに飛び出したランナーであり、加速もついている。このままコーナーをうまく回りきれるか。注目すべきは日韓関係だけでない。今後の社会のあり方、人の生き方の問題である。すでに個別の分野では気づいている人も多いと思うが、韓国の人々は様々な場面で私たちの前を走っている。

最後にお世話になった皆さんへの謝辞を述べさせていただきたい。まずは初掲載から五年余、がっつり面倒をみてくれた朝日新聞『論座』編集部の高橋伸児さんと、それをもとに一冊の本に仕上げてくれた筑摩書房の河内卓さんにお礼を申し上げたい。本書は私と高橋さんのぶっ散らかった中年力に、若い河内さんの冷静さが加わったことで完成した。

また本文中では一部しかお名前を記していないが、ソウル時事日本語学院の金照雄顧問、光州MBCの宋日準社長、釜山KOYO医院の金龍治院長等の先輩諸氏には、日頃から貴重な意見、アドバイス等をいただいている。あらためて感謝の気持ちをお伝えしたい。

そして韓国で一緒に頑張ってきた友人とその子どもたち、特に本書では和地美有希さん、平野有子さん、井澤紀子さんに、資料提供等をふくめ大変お世話になった。いつも本当にありがとう！　それと嬉しいお知らせが一つ。第3章に登場する韓国軍に入隊した息子さん、先週無事に満期除隊されたそう。JHさん、おめでとう、よく頑張ったね。

二〇二〇年二月

伊東順子

※本書は、『WEBRONZA』(現『論座』)二〇一四年五月一日～二〇年一月一七日までの連載の一部と講談社『現代ビジネス』掲載記事(第3章「7」〔二〇一九年八月一五日〕、同「9」〔二〇一九年一〇月一三日〕、第4章「8」〔二〇一九年一一月二日〕)を加筆修正し、書き下ろし(第3章「3」「6」、第5章「8」)を加えたものである。